DELE
B1

María Pilar Soria
María José Martínez
Daniel Sánchez

Las claves del nuevo DELE B1

Autoras
M. Pilar Soria, M. José Martínez, Daniel Sánchez

Asesora pedagógica
Carolina Domínguez

Coordinación editorial y redacción
Gema Ballesteros Pretel

Diseño gráfico
Forabord (interior), Óscar García (cubierta)

Maquetación
Enric Font

Ilustración
Ernesto Rodríguez

Audiciones: Séverine Battais, Antonio Béjar, Gaëlle Bidan, Celina Bordino, Mateo Caballero, Cristina Carrasco, Barbara Ceruti, César Chamorro, Gustavo Corral, Laura Camila Gómez, Eva Llorens, Xavier Miralles, Agustín Garmendia, Pablo Garrido, Emilio Marill, Carmen Mora, Aurélie Muns, Lourdes Muñiz, Núria Murillo, Silvia Dotti, Veronika Plainer, Paco Riera, Eduard Sancho, Edith Moreno, Iñaki Calvo, Amaya Nuñez, Sergio Troitiño.

© Los autores y Difusión, Centro de Investigación y Publicaciones de Idiomas, S. L., Barcelona 2013

ISBN: 978-84-15846-29-1
Depósito legal: B 22251-2013
Reimpresión: julio 2023
Impreso en la UE

MIXTO
Papel procedente de fuentes responsables
FSC® C125125
FSC www.fsc.org

difusión
Centro de Investigación y Publicaciones de Idiomas, S. L.

C/ Trafalgar, 10, entlo. 1ª
08010 Barcelona
Tel (+34) 93 268 03 00
Fax (+34) 93 310 33 40
editorial@difusion.com
www.difusion.com

INTRODUCCIÓN

Los Diplomas de Español como Lengua Extranjera (DELE) son el título oficial más reconocido internacionalmente para acreditar el nivel de competencia y dominio de la lengua española. Este nuevo diploma **DELE B1**, al que dedicamos este libro, viene a sustituir al llamado DELE Básico.

Nuestro objetivo es preparar al alumno que se presenta al **DELE B1** y ayudarle a superar esta prueba con éxito. Con este fin, hemos diseñado un manual práctico y de fácil manejo, estructurado en cinco unidades temáticas. En ellas, se ofrecen tanto los contenidos léxicos y gramaticales como los recursos para la comunicación y los referentes culturales exigidos en este nivel y especificados en los *Niveles de Referencia del Plan Curricular del Instituto Cervantes*.

LAS UNIDADES

- **Página de entrada**. Esta página presenta el índice de los contenidos léxicos, gramaticales y culturales, así como de los recursos para la comunicación que se trabajan a lo largo de la unidad. Hemos incluido, además, un asociograma en el que aparecen relacionados los contenidos temáticos con muestras de lengua que los ilustran. Su función es doble: por una parte, ayuda a visualizar de manera rápida los contenidos de la unidad y, por otra, sirve para familiarizarse con las dos tareas de la prueba de Expresión e interacción orales, donde se usan como estímulo de comunicación.
- **Actividades**. En las primeras páginas de la unidad, se propone una serie de actividades de práctica contextualizadas con las que el alumno podrá revisar y profundizar los contenidos propios de este nivel.

  Al lado de las actividades, hemos confeccionado unos recuadros esquemáticos de ayuda que presentan los recursos léxicos y gramaticales necesarios para llevar a cabo las actividades propuestas.

  Al final de esta sección, se presenta un nuevo asociograma, esta vez para que sea el alumno quien lo complete y así le sirva de recapitulación.
- **Resumen gramatical**. Un resumen gramatical sintetiza y aclara, a través de muestras de lengua, los contenidos gramaticales de cada una de las unidades.
- **Las claves**. Al final de cada unidad se encuentran las **claves** de las pruebas del examen. En ellas se describen y explican las tareas que componen las cuatro pruebas. Esta sección contiene:
  - Una tabla inicial con la descripción de cada una de las tareas de las cuatro pruebas (Comprensión de lectura, Comprensión auditiva, Expresión e interacción escritas y Expresión e interacción orales).
  - Un ejemplo de prueba para cada destreza, con sus soluciones y las explicaciones de las respuestas.
  - Las claves 🔧 : una serie de consejos y llamadas de atención muy útiles que ayudarán al candidato a prepararse para cada una de las pruebas y a superarlas con éxito el día del examen. El objetivo es que el alumno conozca a la perfección todas las actividades que el examen puede proponer y que no tenga ninguna dificultad para entender su mecanismo.

LOS EXÁMENES

Al final del libro, hemos incluido cinco modelos que reproducen fielmente los exámenes oficiales del DELE B1. En ellos se trabajan cinco textos que corresponden a las cinco tareas de la Comprensión de lectura, cinco tareas de Comprensión auditiva, dos tareas para la Expresión e interacción escritas y cuatro tareas para practicar la Expresión e interacción orales.

LAS AUDICIONES

En www.difusion.com/claves_b1 se pueden descargar todas las audiciones del manual 🎧 : los documentos sonoros correspondientes a la sección **actividades**, a **las claves** y a los **exámenes**. De este modo, el candidato podrá entrenar cuantas veces desee sus habilidades de comprensión auditiva, tanto individualmente como en clase.

Solo nos queda desear a todos los que usen estas Claves para el DELE B1 que les sirvan para superar este nivel de los Diplomas de Español.

¡Buena suerte!

ÍNDICE

Audios, transcripciones y soluciones en: www.difusion.com/claves_b1

En esta unidad vamos a hablar de las relaciones sociales, de la ayuda y de los favores que nos pueden ofrecer los que nos rodean y, además, haremos planes de futuro.

1

¿Te conozco?

Para ello vamos a aprender:

Recursos para la comunicación

❯ Desenvolverse en sociedad (saludar, presentar y presentarse, pedir disculpas, felicitar, despedirse...) ❯ Expresar posibilidad y formular hipótesis ❯ Pedir favores, objetos y ayuda ❯ Establecer comunicación con otros y mantener una conversación

Léxico

❯ La información personal ❯ Relaciones sociales ❯ Relaciones familiares ❯ El trabajo ❯ Ciudades

Gramática

❯ El presente de subjuntivo ❯ El futuro imperfecto ❯ Uso de los pronombres átonos de OD y OI

Cultura

❯ La familia en España

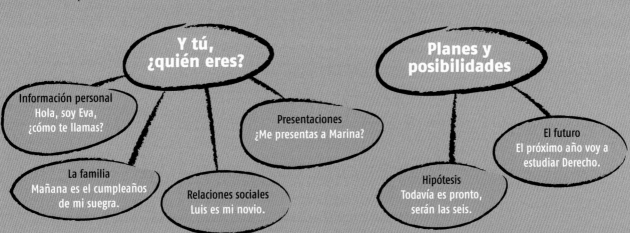

Y tú, ¿quién eres?

Información personal
Hola, soy Eva, ¿cómo te llamas?

La familia
Mañana es el cumpleaños de mi suegra.

Relaciones sociales
Luis es mi novio.

Presentaciones
¿Me presentas a Marina?

Planes y posibilidades

El futuro
El próximo año voy a estudiar Derecho.

Hipótesis
Todavía es pronto, serán las seis.

Saludar

Hola.

¿Qué tal?

¿Cómo estás?

Responder a un saludo

Bien, gracias, como siempre, ¿y tú?

Así, así.

Dirigirse a alguien

¡Oye! / ¡Oiga!

Disculpa.

Presentar a alguien

Este es Luis.

Responder a una presentación

Encantado/a de conocerte.

Solicitar ser presentado

Preséntame a Eva.

❶ Hola, ¿qué tal?

A. Observa los siguientes diálogos y completa, siguiendo el modelo, con las expresiones que creas más convenientes.

Chico: Hola, Cristina, ¿qué tal?

Chica: Así, así. Esta semana he tenido bastantes problemas.

Hombre 1: Javier, esta es Olga, la nueva directora comercial.

Hombre 2: ....

....

Chica: ....

....

Chico: ....

....

Mujer: Son las 6 menos cuarto.

Doctor: Buenas tardes, Marta, ¿cómo estás?

Chica: ....

....

Mujer: ....

....

Hijo: Bien, mamá. Ha sido un día perfecto.

Chico 1: ....

....

Chico 2: ....

....

El saludo informal

En España, en las relaciones informales, se suelen usar algunas expresiones para saludar como **¿Qué hay?, ¿Qué pasa?** o **¿Qué te cuentas?**

Hombre, Marcos, **¿qué pasa?**

Hola Gabriel, **¿qué haces por aquí?**

B. Las siguientes conversaciones están desordenadas, ¿podrías decir cuál es el orden correcto?

Conversación 1

..... – Bien, gracias, como siempre, ¿y tú?

..... – Creo que me pasa lo mismo que a ti, siempre estoy ocupada.

..... – Buenos días, Ana, ¿qué tal estás?

..... – Bien, pero últimamente trabajo demasiado.

Conversación 2

..... – Encantado de conocerte, Lidia.

..... – Así, así, gracias. Y tú, ¿qué tal?

..... – Bien, te presento a Lidia Artalejo, es la nueva directora del departamento comercial.

..... – ¡Dani!, ¿cómo estás?

Conversación 3

..... – Dime.

..... – Disculpa, Ernesto.

..... – Creo que me puede ser de gran ayuda para hacer contactos con gente de la competencia.

..... – ¿Por qué tienes tanto interés?

..... – Me tienes que hacer un favor, preséntame a Eva, hace tiempo que quiero conocerla.

C. Transforma las conversaciones anteriores a un registro más formal.

2 En la red

A. ¿Eres usuario de redes sociales? Piensa en tres ventajas e inconvenientes de las redes sociales y escríbelas.

+	-
Te permiten mantener contacto con gente que está lejos.	A veces lees información que no es fiable.

B. Laura tiene muchos correos electrónicos y mensajes en las redes sociales, ¿podrías ayudarla a responderlos? Ten en cuenta el registro y usa las expresiones más adecuadas.

24 Agosto 2013 — 10:31

Mari

Hola, Laura:
Ayer no te pude llamar para decirte que no podía ir a cenar contigo. Lo siento, de verdad, es que me cambiaron el horario de trabajo sin avisar y no pude salir hasta las once. ¿Me perdonas?
Mari

Buenos días:
Desde la biblioteca pública Juan Marsé le recordamos que tiene todavía pendientes de devolución los siguientes libros:
-*Poesía completa,* de César Vallejo, ref.: 1457866.
-*Escuadra hacia la muerte,* de Alfonso Sastre, ref.: 65866412.
Le rogamos que los devuelva antes del día 23, en caso contrario nos veremos obligados a suspender temporalmente su carné de socia.

Biblioteca pública Juan Marsé

12 Noviembre 2013 — 22:12

Miguel

¿Qué tal?
Te escribo porque mañana me voy de vacaciones y no volveré hasta el día 16. Estaré dando vueltas por Francia, Alemania y Holanda con mi furgoneta y tres amigos. Prometo traerte alguno de esos quesos holandeses que tanto te gustan.
Hasta pronto.
Miguel

Tú y usted en las relaciones personales

Tú es la forma empleada en España y en amplias zonas de América para el tratamiento informal; implica acercamiento al interlocutor y se usa en contextos familiares, informales o de confianza. En las áreas americanas donde coexiste con **vos** en la norma culta, **tú** suele emplearse como tratamiento de formalidad intermedia.

Frente a **tú** y **vos**, el singular **usted** es la forma empleada en la norma culta de América y de España para el tratamiento formal; en el uso más generalizado, **usted** implica cierto distanciamiento, cortesía y formalidad. El mismo valor presenta la forma de plural **ustedes**, frente a **vosotros**, en la mayor parte de España. En cambio, en todo el territorio americano y, dentro de España, en Andalucía occidental y Canarias, **ustedes** es la única forma empleada para referirse a varios interlocutores, tanto en el tratamiento formal como en el informal.

(www.rae.es)

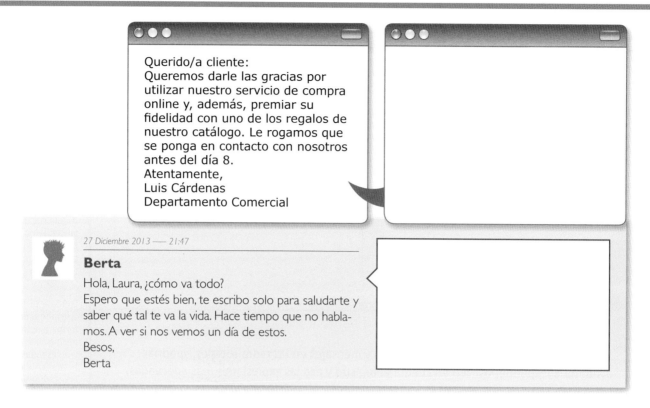

Querido/a cliente:
Queremos darle las gracias por utilizar nuestro servicio de compra online y, además, premiar su fidelidad con uno de los regalos de nuestro catálogo. Le rogamos que se ponga en contacto con nosotros antes del día 8.
Atentamente,
Luis Cárdenas
Departamento Comercial

27 Diciembre 2013 — 21:47

Berta

Hola, Laura, ¿cómo va todo?
Espero que estés bien, te escribo solo para saludarte y saber qué tal te va la vida. Hace tiempo que no hablamos. A ver si nos vemos un día de estos.
Besos,
Berta

El matrimonio en España

El matrimonio es un contrato por el cual dos personas se unen jurídicamente con la intención de formar una vida en común. El día 30 de junio de 2005 se aprobó la ley que modificaba el Código Civil y permitía el matrimonio entre personas del mismo sexo (y, como consecuencia de esto, otros derechos como la adopción, herencia y pensión).

③ Relaciones personales

A. Escucha la siguiente conversación entre Paco y Susi, una pareja de Madrid, que hablan sobre sus amigos Marina y Agustín, y di si las siguientes afirmaciones son verdaderas o falsas.

	V	F
1. Susi ya sabía que Marina tenía problemas con su pareja.		
2. Marina y Agustín se acaban de casar.		
3. A Susi Agustín le parece muy atractivo.		
4. Susi cree que Agustín es muy atento.		
5. Marina le ha sido infiel a Agustín.		
6. Antes Susi estaba casada con otro hombre.		

B. En la conversación anterior aparece mucho vocabulario relacionado con las relaciones de pareja. Relaciona cada expresión o palabra con su significado.

1. Convivir	a. Tener buena o mala relación con alguien.
2. Divorciarse	b. Romper legalmente una relación matrimonial.
3. Tener una aventura	c. Interrumpir la vida en común con alguien.
4. Llevarse bien / mal	d. Vivir en compañía de otros.
5. Separarse	e. Contraer matrimonio con alguien.
6. Discutir	f. Tener una relación fuera del matrimonio o de la relación de pareja.
7. Casarse	g. Pelearse con alguien por tener opiniones diferentes.

4 Una buena relación

Ordena los fragmentos de esta entrevista.

Fragmento ....

- Pues sí, señor, cuerpo y mente están conectados, y además la respuesta que se obtiene de los otros también cambia y nos transforma, pero hay que insistir.
- **Muchos temen a la jubilación porque temen a la soledad.**
- Según un estudio realizado con población norteamericana, los jubilados sufren menos de soledad que los que están en activo. Creo que se debe a que pueden escoger su red social: solo mantienen relaciones positivas. (...) La sociedad nos empuja a buscar bienes materiales, experiencias..., y sabemos que esa búsqueda te hace sentir más solo e infeliz. La felicidad (...) surge de las relaciones personales ricas.

Fragmento ....

- En vivir en comunidad. La soledad es como el hambre o la sed, un estado de carencia.
- **Pero la soledad es una percepción subjetiva, un sentimiento.**
- Sí, está provocada por el cerebro, que a su vez provoca los sentimientos y los pensamientos. Si te sientes solo y feliz, no tienes ningún problema.
- **Igual es que no nos han enseñado a estar solos.**
- Somos un animal tan social que en nuestro cerebro hay una señal que nos dice que tenemos que encontrar gente. La soledad no deseada es literalmente como el dolor físico.

Fragmento ....

Louise Hawkley, doctora en Psicología y en Neurociencias Sociales, investiga la soledad.

"La felicidad surge de las relaciones personales ricas".

- Doctora Hawkley, usted dice que estudiando la soledad hemos podido comprender la naturaleza del ser humano. ¿Y en qué consiste?

Fragmento ....

- **¿Los ancianos son los más solitarios del planeta?**
- Los jóvenes de entre 18 y 30 años suelen ser los que se sienten más solos porque no acaban de saber quiénes son ni dónde encajan. Luego esa percepción de soledad cae, y vuelve a subir a partir de los 85 años.
- **¿Cuál es el problema?**
- El cerebro los secuestra, empiezan a percibir su entorno social de manera negativa y eso perpetúa la soledad. Si escaneamos el cerebro a las personas mientras les mostramos imágenes de estímulos sociales positivos (un bebé que sonríe) o negativos (alguien que llora), los solitarios prestan más atención a los estímulos sociales negativos.
- **¿La soledad se contagia?**
- Sí, cuanta más gente en mi red de amigos se siente sola, más solo me siento yo. Es contagioso hasta con tres grados de separación. Desconfianza llama a desconfianza.
- **El médico tibetano del Dalái Lama me dijo que había que sonreír sin ganas hasta que llegaran las ganas.**

(Adaptado de La Vanguardia, 5/03/2013)

⑤ En familia

🎧 ② **A.** Jorge Andrade le cuenta a su nieta Ana la historia de su familia. Escucha la conversación y responde a las preguntas.

1. ¿Por qué decidieron emigrar los padres de Jorge?

....

2. ¿Cómo fue el viaje hacia América?

....

3. ¿Cuántos hermanos tenía Jorge?

....

4. ¿Dónde conoció a su futura esposa?

....

5. ¿Por qué volvieron a España?

....

6. ¿Se arrepiente de haber dejado Argentina?

....

7. ¿En cuántos países ha vivido Jorge?

....

B. Vuelve a escuchar la audición, toma notas y elabora un árbol genealógico de la familia de Jorge Andrade.

C. Escribe un texto breve explicando cómo es tu familia.

D. Léele el texto a un compañero de la clase y pídele que tome notas y dibuje el árbol genealógico de tu familia. A continuación, comprobad entre los dos si ha entendido bien el texto.

6 El mundo avanza una barbaridad

A. ¿Crees que cambiarán mucho las ciudades en el futuro? Aquí tienes un artículo de una revista científica que habla sobre el tema. Complétalo con las palabras y las expresiones dadas.

| se muda | problema | integrado | se consume | máxima |

| han iniciado | ligeros | uso | urbes | urbanos |

Así será la ciudad inteligente del futuro

En 2007 el número de personas que vivía en las ciudades superó por primera vez a los habitantes de las zonas rurales. Hace un siglo solo existían 16 núcleos urbanos con más de un millón de habitantes. Actualmente existen 450 ciudades de más de un millón de habitantes en el mundo. De hecho, cada semana un millón de personas .... a una zona urbana. Y, por si fuera poco, se calcula que el 75 % de la energía del mundo .... actualmente en las ciudades, y que los edificios .... consumen el 42 % de toda la energía que se genera en el planeta.

Estas apabullantes cifras, expuestas ayer en Málaga ante la audiencia del congreso EmTech Spain organizado por el Instituto Tecnológico de Massachusetts (MIT), no dejan lugar a dudas: es urgente renovar las ciudades, convertirlas en urbes "inteligentes" y sostenibles. En este sentido, Ryan Chin, del grupo de investigación de Ciudades Inteligentes del MIT Media Lab, ha llegado a la conclusión de que la baja eficiencia energética, el tráfico, el .... que se lleva a cabo del suelo urbano y las emisiones de dióxido de carbono son los principales problemas de las ciudades del siglo XXI.

Para solucionarlos lidera el desarrollo de un nuevo sistema que permitirá a los futuros usuarios trasladarse por la ciudad "libremente" a través de una red de vehículos eléctricos, ... y apilables, los CityCars, que podrán utilizar simplemente recogiéndolos en las estaciones de carga, y circularán en la ciudad a una velocidad .... de 50 km/h. Así se evitará también el .... del aparcamiento, más grave de lo que solemos pensar si tenemos en cuenta que "el 40 % de la gasolina usada en las áreas urbanas se consume mientras aparcamos", como destaca Chin, partidario de eliminar los vehículos particulares.

Los científicos del MIT .... una colaboración con el consorcio empresarial vasco Hikiro para fabricar los primeros CityCar en industrias españolas. "En 2012 tendremos 20 prototipos; será el concepto del automóvil .... en el ecosistema", anunció ayer Chin.

Los vehículos jugarán un papel clave en las .... futuras, pero no serán menos importantes las viviendas. "La gente debería vivir y trabajar en la misma ciudad, tenemos que pensar en cada ciudad como un ente autónomo", afirmaba Chin. Desde ese punto de vista, en el MIT están desarrollando la CityHome, una vivienda que se podrá personalizar, dotada de módulos transformables que se convertirán en salón, dormitorio, sala de fiestas, oficina o gimnasio, según las necesidades de cada momento.

(Adaptado de Muy interesante, 27/10/2011)

B. ¿Cómo crees que cambiará el mundo en los próximos años? Completa las frases siguiendo el modelo.

Las energías renovables... *sustituirán a las tradicionales.* ....

1. Los medios de transporte... ....

2. La medicina... ....

3. La comunicación entre las personas... ....

4. Las diferencias sociales... ....

5. Los medios de comunicación... ....

6. El ocio... ....

7. El mundo laboral... ....

8. La moda... ....

9. Las relaciones personales... ....

Hipótesis

Una de las formas más utilizadas en español para expresar una hipótesis es el futuro simple (si se refiere al momento presente) o el futuro compuesto (si hablamos de algo pasado).

Luis **estará** en casa de Marcos. = Luis posiblemente esté en casa de Marcos.

Luis no está en casa, **habrá salido** a comer algo. = Luis no está en casa, es posible que haya salido a comer algo.

7 Qué será, será

A. ¿Qué expresiones conoces en español para expresar posibilidad o hipótesis? Piensa de qué otras formas podrías decir lo mismo que en las siguientes frases y anótalo.

1. Pienso que Toni está en el trabajo ahora pero no estoy seguro/a.

2. Creo que mi hermana ha ido a pasear al perro porque la correa no está aquí, pero no lo sé.

B. Responde a las siguientes preguntas siguiendo el modelo.

¿Dónde está Maite?

Lo sabes: **Está en casa de Inma preparando la fiesta de esta noche.**

No lo sabes pero expresas una posibilidad: **Estará preparando la fiesta en casa de Inma.**

1. ¿Qué está haciendo ahora tu mejor amigo/a?

....

2. ¿Qué hora es? (¡No mires el reloj!)

....

3. ¿Cuántos años tiene tu profesor/a?

....

4. ¿Cuántos habitantes hay en Madrid?

....

5. ¿Dónde guarda el teléfono móvil tu profesor/a?

....

6. ¿Cuál es el río más largo del mundo?

....

7. ¿Cuánto te miden las piernas?

....

C. Mira las siguientes fotografías, ¿qué crees que están haciendo estas personas?

Tal vez está buscando un clavo para arreglar la valla. ....

Quizás... ....

Seguramente... ....

Puede que ....

Tal vez... ....

Posiblemente... ....

Probablemente... ....

8 Oye, ¿me das...?

A. James hace poco tiempo que vive en España y, a menudo, se hace un lío cuando tiene que pedir cosas a alguien. Señala si la forma en la que pide las cosas es correcta o no.

	Correcto	Incorrecto
Ana, ¿me dejas un cigarrillo?		
Marcos, ¿puedes darme un vaso de agua?		
Carla, ¿me prestas un chicle?		
María, ¿me podría dar 100 euros?		
Luisa, ¿me dejas tu coche para ir al centro comercial?		
Daniel, ¿me puede dar su dirección?		
Guille, ¿me dejas tu camisa roja para la cena de esta noche?		
Carlos, ¿me podrías dejar tu ordenador?		

B. Ayúdale a formular las siguientes preguntas siguiendo el modelo.

Tiene que pedir...
un libro a un amigo: *¿Me dejas el libro de Roberto Bolaño?*

1. un poco de jabón a su compañera de piso: ....

2. la bici a su vecino: ....

3. un adelanto del sueldo a su jefe: ....

4. un bolígrafo a su compañera de trabajo: ....

5. el móvil a su amigo Lucas: ....

C. A James también le cuesta mucho utilizar los pronombres de forma correcta y muchas veces no sabe qué combinación debe utilizar cuando le piden algo. Marca la opción correcta en las diferentes respuestas.

1. ● ¿Me dejas tu teléfono para llamar a mi hermano?
   a. ○ Sí, **te lo** dejo, pero no hables mucho, que tengo poco saldo.
   b. ○ Sí, **te le** dejo, pero no hables mucho, que tengo poco saldo.
   c. ○ Sí, **se lo** dejo, pero no hables mucho, que tengo poco saldo.

2. ● ¿Le has comprado un regalo a Marta?
   a. ○ Sí, **le lo** he comprado hoy en el centro comercial.
   b. ○ Sí, **se lo** he comprado hoy en el centro comercial.
   c. ○ Sí, he comprádo**selo** hoy en el centro comercial.

3. ● ¿Compras cada día el periódico?
   a. ○ No, solo **lo** compro el fin de semana.
   b. ○ No, solo **le** compro el fin de semana.
   c. ○ No, solo cómpro**lo** el fin de semana.

4. ● Marta, ¿vas a hacer la cena?
   a. ○ No puedo, haz**lo** tú, yo me tengo que ir.
   b. ○ No puedo,ház**sela** tú, yo me tengo que ir.
   c. ○ No puedo, haz**la** tú, yo me tengo que ir.

5. ● Alberto, ¿le has dicho a tus padres que vas a dejar la universidad?
   a. ○ No **le lo** he dicho todavía, no sé cómo hacerlo.
   b. ○ No **se lo** he dicho todavía, no sé cómo hacerlo.
   c. ○ No **te lo** he dicho todavía, no sé cómo hacerlo.

6. ● Ana, ¿nos has traído todas las cosas que te pedimos?
   a. ○ Sí, he traído**las**.
   b. ○ Sí, **nos las** he traído.
   c. ○ Sí, **os las** he traído.

⑨ La familia en España

A. Lee la siguiente información referente a la vida de las familias en España y responde a las preguntas.

Tipos de hogar en España (2007)

Pareja sin hijos	21,5%
Pareja con 1 hijo	21,0%
Pareja con 2 hijos	17,4%
Pareja con 3 o más hijos	3,7%
Un adulto con hijos	7,9%
Persona sola con menos de 65 años	8,8%
Persona sola de 65 o más años	8,7%
Otro tipo de hogar	10,8%

Difícil conciliación entre familia y trabajo

La opción del trabajo en casa para facilitar la conciliación entre vida laboral y familiar está aún lejos. Según datos de Eurostat, en España tan solo trabajan en casa un 5,2% del total de empleados, frente a países como Reino Unido (25,5%) o Austria (20,1%). En el conjunto de la UE la cifra alcanza el 12%.

El tamaño del municipio influye

El tamaño del municipio se relaciona directamente con la falta de espacio en las viviendas que sufren los hogares, siendo en los municipios de menos de 10.000 habitantes donde menor es el porcentaje de hogares que acusan este problema (11,4%). Por el contrario, los municipios pequeños registran el porcentaje más alto de hogares que manifiestan tener grandes dificultades para acceder al transporte público (8,1%).

La vivienda, nuestro mayor gasto

Según la Encuesta de Presupuestos Familiares el gasto de consumo de los hogares españoles asciende, en media, a 32.001 euros, mientras que el gasto medio por persona es de 11.673 euros anuales. Los hogares destinan la mayor parte del presupuesto a gastos relacionados con la vivienda (25,6%), el transporte (14,4%) y la alimentación y bebidas no alcohólicas (14,2%).

La vivienda, sobre todo en propiedad

El 81,3% de los hogares residen en viviendas de su propiedad. Tan solo un 12,5% optan por el alquiler a precios de mercado y uno de cada dos hogares tiene vivienda en propiedad sin préstamo o hipoteca en curso (50,4%).

Televisión y lavadora, indispensables

Entre los bienes de equipamiento de las viviendas, los más universales hoy en día son la televisión (el 99,7% de los hogares tienen al menos una) y la lavadora (99,0%). Además, un 85,5% de las viviendas dispone de alguna bombilla de bajo consumo y en tres de cada cuatro viviendas se separan los residuos no orgánicos (papel, vidrio y envases), datos que muestran la creciente preocupación por el medio ambiente.

(Adaptado del Instituto Nacional de Estadística)

1. Tras leer el texto, ¿piensas que en España hay muchas familias numerosas?
2. Después de la vivienda, ¿a qué dedican más dinero las familias españolas?
3. ¿Es habitual en España el alquiler de pisos o casas?
4. ¿El teletrabajo está muy extendido?
5. Según el texto, ¿hay preocupación por el medio ambiente en las familias españolas?, ¿por qué?
6. ¿La mayoría de la gente tiene problemas de acceso al transporte público?

B. Completa ahora el siguiente cuadro con las semejanzas y diferencias con la vida familiar en tu país.

Semejanzas	Diferencias

C. Comenta tus respuestas con el resto de la clase.

D. Busca en el texto sinónimos de las siguientes palabras.

1. Comida
2. Casa
3. Basura
4. Cristal
5. Trabajadores
6. Crédito
7. Gasto

10 Tu asociograma

Completa ahora tu propio asociograma con lo que has aprendido en esta unidad.

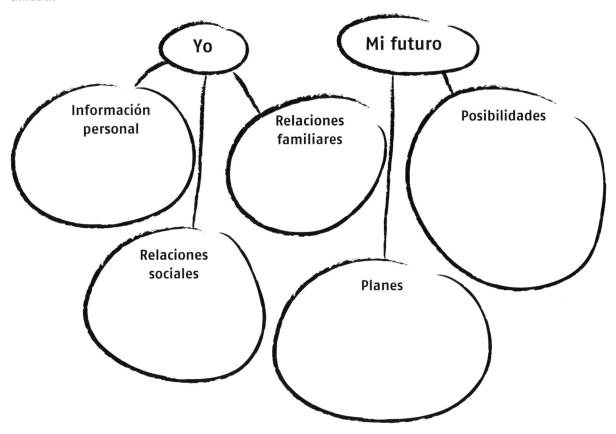

EL FUTURO IMPERFECTO

	HABLAR	COMER	SUBIR
yo	hablaré	comeré	subiré
tú	hablarás	comerás	subirás
él, ella, usted	hablará	comerá	subirá
nosotros/as	hablaremos	comeremos	subiremos
vosotros/as	hablaréis	comeréis	subiréis
ellos, ellas, ustedes	hablarán	comerán	subirán

Verbos con raíz irregular

decir: **dir-**   tener: **tendr-**   valer: **valdr-**
saber: **sabr-**   caber: **cabr-**   poner: **pondr-**
poder: **podr-**   haber: **habr-**   venir: **vendr-**

Usos

▶ Para hablar de acciones futuras:

*Mañana **iré** al cine con Marta a ver la nueva película de Ricardo Darín.*

▶ Para predecir:

*Si sigues entrenando tanto, **serás** un gran futbolista.*

▶ Para expresar probabilidad:

- *¿Dónde está Luisa?*
- ○ ***Estará** tomando un café, es la hora del desayuno.*

EL PRESENTE DE SUBJUNTIVO

Otra forma de expresar probabilidad es mediante algunas expresiones de hipótesis. Para ello, necesitarás conocer la forma del presente de subjuntivo.

	HABLAR	COMER	SUBIR
yo	hable	coma	suba
tú	hables	comas	subas
él, ella, usted	hable	coma	suba
nosotros/as	hablemos	comamos	subamos
vosotros/as	habléis	comáis	subáis
ellos, ellas, ustedes	hablen	coman	suban

Verbos irregulares

Los verbos irregulares son casi los mismos que en el presente de indicativo. Los verbos con los cambios **o>ue** o **e>ie** se conjugan de la misma manera.

	PODER	QUERER
yo	pueda	quiera

Los verbos con el cambio vocálico **e>i** cambian la **e** por la **i** en todas las personas.

	PEDIR
yo	pida

PEDIR COSAS

Dejar / prestar

Utilizamos estos verbos cuando pedimos algo de forma temporal.

*¿**Me dejas** tu bolígrafo?*
***Préstame** cinco euros, que me he dejado la cartera en casa.*

Si queremos pedirlo de manera más formal podemos usar el presente o el condicional del verbo **poder**.

*¿**Me puedes / podrías** dejar tu coche?*

Dar

Para pedir alguna cosa abstracta o algo que no vamos a devolver usamos el verbo **dar**.

*¿**Me das** tu dirección?*
*¿**Me das** un chicle?*

Para pedirlo de manera más formal podemos usar el presente o el condicional del verbo **poder**.

*¿**Me puede / podría** dar su teléfono?*

PRONOMBRES CON FUNCIÓN DE OBJETO DIRECTO

	masculino	femenino	
1ª pers. sing.	me		*¿Me llevas en coche?*
2ª pers. sing.	te		*Te vi en la discoteca.*
3ª pers. sing.	lo (le)	la	*La casa la pinté el año pasado.*
1ª pers. pl.	nos		*Mi padre nos llamó ayer.*
2ª pers. pl.	os		*Os he visto en el mercado.*
3ª pers. pl.	los	las	*Las noticias nunca las leo.*

Le: para referirse a personas de género masculino, también se puede usar **le** como pronombre de 3ª persona singular.

*¿Luis? **Lo/Le** conozco hace años.*

PRONOMBRES CON FUNCIÓN DE OBJETO INDIRECTO

	masculino y femenino	
1ª pers. sing.	me	*¿Me puedes hacer un favor?*
2ª pers. sing.	te	*Te recomiendo que dejes de fumar.*
3ª pers. sing.	le (se)	*Le he dicho a Luis que venga.*
1ª pers. pl.	nos	*Luis nos ha presentado a su novia.*
2ª pers. pl.	os	*Os entregaré el informe esta tarde.*
3ª pers. pl.	les (se)	*Les he dejado el coche a mis padres.*

Usamos **se** al combinar un pronombre de objeto indirecto de 3ª persona (**le / les**) junto con un pronombre de objeto directo (**lo / la/ los / las**).

COMPRENSIÓN DE LECTURA **LAS CLAVES DE LA TAREA 1**

EN QUÉ CONSISTE	FORMATO	TIPO DE TEXTO
En esta prueba tienes que extraer la idea principal e identificar información específica en textos breves.	Consta de 6 ítems de respuesta preseleccionada más el ejemplo.	Textos breves relacionados con los ámbitos personal, público, profesional y académico (anuncios publicitarios, cartelera, mensajes personales y avisos).

Instrucciones

Lee los seis textos en los que unas personas hablan de los tipos de comida que les gustan o de los lugares a los que querrían ir a comer y los diez textos que describen diferentes restaurantes. Relaciona las personas (1–6) con los textos que hablan sobre restaurantes. Hay tres textos que no debes relacionar.

Marca las opciones seleccionadas en la **Hoja de respuestas**.

	Persona	Texto
0.	Eduardo	C
1.	Clara	F
2.	Olga	G
3.	Jesús	J
4.	Alicia	B
5.	Joaquín	A
6.	Pepa	I

Me encanta todo lo que venga del mar. Podría vivir sin comer carne nunca más, pero no sin mis gambas o mis sardinas a la plancha.

0. Eduardo

Yo soy un auténtico carnívoro. Lo que más me gusta cuando voy a un restaurante es saborear un filete de ternera grueso y poco hecho.

5. Joaquín

Hace ya muchos años que no como carne ni pescado, creo que es una forma de respetar a la naturaleza y a todos los organismos vivos.

1. Clara

Esta noche no quiero comer mucho pero no me apetece comer un bocadillo, ya lo como cada día para almorzar en la oficina.

4. Alicia

Hace tiempo que no como un buen arroz, desde que estuve en Valencia en mis pasadas vacaciones.

6. Pepa

Esta noche quiero ir a cenar pero sin comer mucho, un bocata o algo así, pero no quiero ir de tapeo, ya fui anoche con mis amigas.

2. Olga

Me apetece comer algo diferente pero no quiero nada de comida asiática, en los restaurantes chinos ponen demasiada comida. Quiero probar algo de la gastronomía de América del Sur.

3. Jesús

A. LA PARRILLA

Ven a nuestro restaurante a probar el mejor asado, las mejores carnes argentinas a la parrilla: asado de tira, vacío, bife... todo ello acompañado de nuestro fantástico chimichurri casero. Nos encontrarás en la calle Poeta Marquina número 12.

B. CASA MANOLO

¿No sabes adónde ir a cenar? ¿Te gustan las tapas? Casa Manolo es tu bar. Aquí encontrarás un gran surtido de tapas: croquetas, calamares a la andaluza, pescadito frito, chorizos a la sidra, toda clase de tortillas y nuestras famosas patatas bravas Casa Manolo. Ideal para grupos.

C. POR BABOR

Nueva marisquería Por Babor, especialidad en cocina gallega. Mariscos y pescados frescos traídos cada día del puerto de A Coruña. Prueba nuestra famosa mariscada y acompáñala con un fantástico vino de nuestra tierra. Para reservas llama al 607948948.

D. PANCHITO

Comida mexicana tradicional en el centro de tu ciudad: enchiladas, sincronizadas, frijoles, tacos, guacamole... todo acompañado de una gran selección de cervezas mexicanas. Viernes y sábados música en vivo con la banda de mariachis Aires de Tijuana.

E. GUANGDONG

Restaurante de comida asiática Guangdong, un rincón de Asia te espera en el centro de la ciudad. Especializado en comida china y japonesa. Menú diario a 10 euros, fines de semana, 14 euros.

F. VITA SANA

¿Eres vegetariano? Ven a Vita Sana, el nuevo restaurante vegetariano del barrio viejo. Las mejores ensaladas, cremas, tortillas y pizzas vegetales. Todo elaborado con productos de agricultura ecológica de producción propia. Disponemos de tienda donde también podrás llevarte los productos de nuestra huerta a tu casa.

G. EL DE LA ESQUINA

¿Todavía no has visitado nuestro bar? Desde hace ya más de cincuenta años preparamos los mejores bocadillos. Prueba una de las más de cincuenta especialidades que te ofrecemos. Estamos en la calle Mayor, justo al lado de la plaza del Ayuntamiento.

H. ALFIERI

En el restaurante Alfieri podrá saborear las mejores especialidades de la gastronomía italiana. Pizza cocida al horno de leña y la mejor selección de pasta. Se sentirá como en un rincón de Nápoles. También ofrecemos pizzas para llevar.

I. LA FALLERA

¿Todavía no has probado las mejores paellas de la ciudad? Paellas, arroces caldosos, con carne, con pescado... Todo ello cocinado a la leña, como manda la tradición. Precios especiales para celebraciones.

J. EL LIMEÑO

Ya está abierto el primer restaurante de comida peruana de la ciudad. Prueba el ceviche, el ají de gallina, el lomo saltado o el picante de cuy. Disfruta de una de las gastronomías más interesantes de América Latina.

EXPLICACIÓN DE LAS RESPUESTAS

0 Eduardo dice que lo que más le gusta son los productos que vienen del mar, por esta razón su restaurante favorito sería Por Babor, especializado en marisco y pescado.

1 Clara iría claramente al restaurante vegetariano Vita Sana, ya que no come ni carne ni pescado, por lo que podemos deducir que es vegetariana.

2 Olga quiere comer poco y no quiere tapas, así que la única opción que le queda es comer un bocadillo, ya que el resto de opciones son más contundentes. Además, dice que quiere un *bocata*, expresión popular que hace referencia al bocadillo.

3 Jesús quiere probar algo de la gastronomía de América del Sur, así que la única opción que le puede ir bien es ir al restaurante de comida peruana.

4 Alicia quiere comer poco aunque no le apetece un bocadillo porque ya lo come a la hora de almorzar. Hay varias opciones que le podrían ir bien parece que la más lógica sería ir de tapas.

5 Joaquín dice que lo más le gusta es la carne, exactamente dice que es un carnívoro, así que su mejor opción sería el restaurante La Parrilla.

6 Pepa asegura que hace tiempo que no come un buen arroz. El mejor restaurante para ella sería La Fallera, ya que dicen que preparan unas paellas excelentes.

🔧 En esta tarea, los tipos de texto suelen ser anuncios, carteleras o mensajes personales. Piensa en cuál es la finalidad del texto y dónde lo puedes encontrar.

🔧 Recuerda que tres de los textos que vas a leer no se tienen que relacionar con las personas y que uno de ellos ya está relacionado con el ejemplo.

🔧 A menudo la respuesta se encuentra en algunas palabras clave, normalmente sinónimos. Marca las palabras que consideres básicas para la comprensión del texto.

🔧 Piensa que el tiempo es muy importante en un examen como este. Si no estás seguro de alguna de las respuestas marca una de las opciones y sigue con las otras preguntas, piensa que una respuesta en blanco equivale a una respuesta errónea.

COMPRENSIÓN AUDITIVA **LAS CLAVES DE LA TAREA 1**

EN QUÉ CONSISTE	FORMATO	TIPO DE TEXTO
En esta tarea deberás captar la idea principal en textos breves de tipo promocional o informativo.	Consta de 6 ítems de respuesta preseleccionada: selección múltiple con 3 opciones de respuesta.	6 monólogos cortos del ámbito personal y público (anuncios publicitarios, mensajes personales, avisos...).

Instrucciones

Vas a escuchar seis mensajes breves. Escucharás cada mensaje dos veces. Después debes contestar a las preguntas (1-6). Selecciona la opción correcta (A, B o C). Marca las opciones elegidas en la **Hoja de respuestas**.

1. Según el mensaje, el tren procedente de Zaragoza...

a. ha tenido un accidente.

b. no saldrá.

c. llegará más tarde de lo previsto.

2. Los que compren dos productos de limpieza...

a. obtendrán otro producto gratis.

b. tendrán descuento al comprar leche.

c. podrán coger otro producto de la misma sección sin pagar.

3. El mensaje dice que el Sr. López...

a. debe ir al hotel.

b. tiene que recoger algo.

c. tiene una cita en la recepción del hotel.

4. La clase se suspende...

a. por problemas técnicos.

b. porque el profesor no la puede impartir.

c. por falta de alumnos.

5. El anuncio ofrece...

a. ayuda económica a personas en paro.

b. la posibilidad de cursar unos estudios.

c. trabajo a los jóvenes de 16 a 25 años.

6. Elena llama a Marcos...

a. para decirle que no podrá salir con él.

b. para anular una reserva.

c. para decir que llegará tarde.

TRANSCRIPCIÓN DEL AUDIO

1

El tren procedente de Zaragoza efectuará su llegada con una hora de retraso debido a un accidente de tráfico. Repetimos, el tren procedente de Zaragoza efectuará su llegada con una hora de retraso debido a un accidente de tráfico.

2

Estimados clientes, les informamos de que hoy, por la compra de dos productos de nuestra sección de limpieza, les obsequiaremos con un litro de leche de la marca Purolat.

3

Rogamos al Sr. López que se dirija a la recepción del hotel para recoger un paquete. Sr. López, diríjase a la recepción del hotel para recoger un paquete.

4

Informamos a nuestros clientes de que la clase de aeróbic de las seis de la tarde se suspende por enfermedad del profesor Mauro. Perdonen las molestias.

5

¿Estás en paro?, ¿tienes entre 16 y 25 años?, ¿buscas trabajo? Piensa que lo más importante para encontrar un buen empleo es la formación. Estudia una profesión en la Academia Linares y encontrarás un empleo sin dificultad.

6

Marcos, soy Elena, te he llamado un montón de veces. No voy a poder ir a la cena, ya te contaré. Llama al restaurante y anula la reserva por favor. Ya iremos otro día.

1	2	3	4	5	6
c	a	b	b	b	a

EXPLICACIÓN DE LAS RESPUESTAS

1-C En ningún momento se habla de un accidente del tren y tampoco se dice que tiene que salir, sino que va a llegar más tarde.

2-A La persona que habla dice que darán un litro de leche a quien compre dos productos de limpieza. No se habla de descuentos y tampoco de la posibilidad de llevarse un tercer producto de limpieza.

3-B El mensaje dice que el Sr. López tiene que ir a buscar un paquete. La opción A no es posible porque deducimos que el Sr. López se encuentra en el hotel y la C tampoco porque no se habla de una cita con nadie.

4-B El profesor no puede impartir la clase a causa de una enfermedad. La mujer no habla de falta de alumnos y tampoco de problemas técnicos.

5-B Se trata de un anuncio de una academia que oferta cursos para gente que está en paro. Al decir *estudia una profesión*, no ofrecen trabajo ni ayudas económicas y, además, hablan de *formación*, lo que equivale a hablar de estudios.

6-A Dice que no podrá salir con Marcos, lo que equivale a decir que no podrá ir a cenar o a tomar algo con él.

Piensa que muchas veces puedes descartar algunas respuestas por eliminación, eso te puede ayudar a decidir cuál es la respuesta correcta.

Lee bien las preguntas antes de que empiece la audición y marca las palabras que consideres que son clave. Piensa que muchas veces las respuestas las encontrarás en sinónimos de esas palabras clave.

Piensa que vas a oír cada mensaje dos veces, en la primera escucha intenta captar la idea general de lo que dice (lugar, contexto en el que se dice...) y en la segunda intenta centrarte más en las palabras clave.

Una vez hayas oído la primera audición marca tu respuesta y prepárate para la siguiente audición. Piensa que entre cada una de las audiciones tendrás pocos segundos.

EXPRESIÓN E INTERACCIÓN ESCRITAS **LAS CLAVES DE LA TAREA 1**

EN QUÉ CONSISTE	FORMATO	TIPO DE TEXTO
En esta prueba deberás elaborar un texto informativo sencillo y cohesionado a partir de la lectura de un texto breve.	Redactar una carta o mensaje de foro, correo electrónico o blog..., que puede incluir descripción o narración.	Texto del ámbito personal y público: nota, anuncio, carta o mensaje que sirve de base para la redacción del texto de salida.

Instrucciones

Has recibido un correo electrónico de tu amiga Maite. Escríbele un correo electrónico en el que debes:

– saludar;

– explicar qué tipo de viaje quieres hacer;

– explicar cuándo quieres ir;

– hablar sobre qué lugares te gustaría visitar;

– despedirte.

Número de palabras: entre 100 y 120.

De: Maite

Para: Marta

Asunto: Viaje

Hola, Marta:

¿Qué tal? Te escribo porque tenemos que quedar para hablar del viaje. Dijimos que antes de acabar la universidad haríamos un viaje tú, Eva y yo y, como ya estamos en el último cuatrimestre, creo que ya es hora de que quedemos para hablar del tema.

Podéis ir pensando algunas propuestas y la semana que viene quedamos en mi piso para cenar y lo hablamos. Yo había pensado en algo de sol y playa con mucha fiesta por la noche. No sé... Lo hablamos.

Besos,

Maite

EJEMPLO DE PRODUCCIÓN ESCRITA

Hola, Maite:

¿Cómo estás? Espero que bien. Bueno, me parece perfecto quedar para cenar esta semana algún día y hablar sobre el viaje. Yo había pensado en un viaje más cultural, algo más urbano. Ya sabes que a mí también me encanta salir por las noches, pero también estaría bien poder visitar alguna ciudad interesante o algún museo. ¿Qué os parece Praga?, ¿habéis estado alguna vez? Además de todo lo que hay por ver dicen que la vida nocturna es fantástica. Podríamos ir en septiembre, allí todavía no hace frío. Creo que es una buena idea, ¿qué piensas? Esta semana lo hablamos, te llamo mañana y quedamos.

Un abrazo,

Marta

EXPRESIÓN E INTERACCIÓN ORALES **LAS CLAVES DE LA TAREA 1**

EN QUÉ CONSISTE	FORMATO	MATERIAL DE ENTRADA
Tienes que realizar una breve presentación ensayada en la que darás tu opinión, describirás tus experiencias o hablarás de tus deseos respecto al tema propuesto.	Deberás mantener un breve monólogo a partir de un tema (podrás elegir entre dos y prepararlo) y contestar a una serie de preguntas.	Tienes una lámina con un tema o titular y preguntas para guiar tus respuestas.

Instrucciones

Habla sobre los animales domésticos.

Estas indicaciones te pueden ayudar a preparar tu exposición.

Incluye información sobre:

➤ las ventajas e inconvenientes de tener este tipo de animales en casa;

➤ tus animales favoritos;

➤ los animales domésticos más comunes en tu país.

No olvides:

➤ diferenciar las partes de tu exposición: introducción, desarrollo y conclusión final;

➤ ordenar y relacionar bien las ideas;

➤ justificar tus opiniones.

Ejemplo de preguntas del entrevistador:

➤ ¿Has tenido algunas vez animales domésticos? ¿Qué animales?

➤ ¿Qué aspectos positivos encuentras al hecho de tener mascotas en casa?

➤ ¿Es muy normal en tu país tener animales en casa?

EJEMPLO DE PRODUCCIÓN ORAL

En primer lugar quiero decir que creo que tener animales domésticos en casa es algo muy positivo. Las ventajas que veo es que hacen mucha compañía y, para los más pequeños, puede ser una forma de aprender lo que es la responsabilidad. Los inconvenientes pueden venir por la falta de espacio para el animal si se trata de animales grandes como perros pero, en general, veo pocos inconvenientes al hecho de tener animales en casa. En segundo lugar quería hablar de mis animales domésticos favoritos. Siempre me han gustado los gatos porque son muy independientes y no exigen tantos cuidados como los perros.
En mi país, como en la mayoría de países, las mascotas más comunes son los perros y los gatos pero también hay gente que tiene peces, tortugas, conejos... Incluso ahora hay gente que tiene animales exóticos como serpientes o iguanas.
Para terminar, me gustaría decir que creo que las leyes contra el abandono de animales deberían ser más duras de lo que son.

🔧 Recuerda que es la primera tarea de la parte de expresión oral, vas a ver al examinador por primera vez así que no olvides saludar: **hola, buenos días, buenas tardes**. Piensa que la primera toma de contacto no es parte del examen.

🔧 Podrás elegir entre dos temas y tendrás 15 minutos de preparación. Ten en cuenta que no se trata de elegir el tema que más te guste sino el tema con el que mejor te puedas expresar. Piensa en qué vocabulario o estructuras vas a necesitar para desarrollarlo.

🔧 Piensa que el monólogo debe ser breve pero estar bien estructurado, marca bien el inicio, el desarrollo y el fin de tu intervención con organizadores del discurso como: **Para empezar quería decir que..., en primer / segundo... lugar, por un lado / por otro lado, para terminar**, etc.

🔧 El entrevistador te preguntará si quieres que te trate de tú o de usted durante la prueba, elige la forma que resulte más cómoda para ti a la hora de entablar una conversación.

🔧 Si quieres expresar algún concepto o idea y no encuentras la palabra en español intenta buscar un sinónimo o hacer una descripción de lo que quieres decir.

En esta unidad vamos a hablar de historias, de leyendas, de anécdotas, de biografías de personajes hispanos, de las experiencias de la vida de una persona y sus cambios.

2

Cuéntame

Para ello vamos a aprender:

Recursos para la comunicación

〉 Narrar en pasado 〉 Relacionar y situar acciones en el pasado 〉 Hablar sobre la biografía de una persona 〉 Hablar sobre los cambios que se producen en la vida de alguien 〉 Contar experiencias y anécdotas 〉 Reaccionar ante un relato 〉 Expresar causa y consecuencia

Léxico

〉 Biografía de una persona y los acontecimientos más destacados en la vida de alguien 〉 Experiencias personales, académicas o laborales 〉 Anécdotas 〉 Cuentos y leyendas

Gramática

〉 Los tiempos de pasado: usos y formas 〉 Marcadores temporales del pasado: **este mes**, **el año pasado**, etc. 〉 Marcadores del discurso: **primero, después**, etc. 〉 Conectores de causa: **como, porque** y de consecuencia: **así que, de modo que, por eso** 〉 **Estar** + gerundio en pasado

Cultura

〉 Personajes hispanos destacados: Diego Rivera 〉 Leyendas españolas e hispanoamericanas

Narrar en el pasado

Antes y ahora
Cuando era más joven no hacía deporte, ahora, en cambio...

Estudios
Terminé mis estudios de Medicina en 1999.

Biografía

Vida personal
Me casé en 2004.

Experiencias y anécdotas
¿Sabes lo que me pasó? Resulta que el otro día...

Cuentos y leyendas
Cuenta la leyenda que había una vez...

Trabajo
Empecé a trabajar en 2008.

1 ¿Qué has hecho este fin de semana?

A. Vas a escuchar a seis estudiantes Erasmus en Barcelona que cuentan qué han hecho durante el fin de semana. Relaciona lo que dice cada estudiante con la fotografía correspondiente. Sobran dos.

B. Escucha otra vez y anota lo que han hecho.

1. Este fin de semana ha ....
....
2. ....
....
3. ....
....
4. ....
....
5. ....
....
6. ....
....

C. ¿Y tú qué has hecho este fin de semana?

2 ¡Atrévete!

A. En este blog se ha publicado una nueva entrada donde se da una lista con algunas experiencias que hay que tener en la vida. Algunas de ellas vienen acompañadas de una fotografía. ¿Puedes etiquetar las fotos?

www.blogatrevete.difu

1. Ver un amanecer.
2. Pasar un día feliz sin gastar dinero.
3. Pedir perdón.
4. Comer algo exótico.
5. Hacer un viaje tú solo a algún lugar que no conozcas.
6. Escalar una montaña.
7. Adoptar un animal.
8. Componer una canción.
9. Escribir una carta a mano.
10. Aprender a tocar un instrumento musical.
11. Donar sangre.
12. Recuperar el contacto con los amigos del colegio, del instituto o de la universidad en las redes sociales.
13. Tener un huerto.
14. Hacerte una foto con alguien famoso.
15. Cambiar de aspecto radicalmente.
16. Ir a un gran concierto.
17. Visitar al menos cinco países.

Marcadores temporales

Este verano, este año, este mes, hoy, hasta ahora... + pretérito perfecto

Este mes he pasado más de un día feliz sin gastar dinero.

Hace un año, el año pasado, en 2007... + pretérito indefinido

Yo, **el año pasado escalé** una montaña en los Pirineos.

Expresiones de frecuencia

Muchas veces, pocas veces, nunca... + pretérito perfecto

Mi madre **ha donado** sangre **muchas veces**. Es donante.

¿No te **has hecho nunca** una foto con alguien famoso?

Yo **he viajado pocas veces** en tren.

B. A continuación tienes parte de los comentarios que algunas personas han dejado en el blog anterior. ¿A qué experiencia del listado se refieren en cada caso?

Manu: Pues yo he estado en muchos, porque me he recorrido toda Latinoamérica.

Ainhoa: Hasta ahora me he reencontrado con más de veinte. A algunas personas hacía más de diez años que no las veía.

Felipe: Desde que he cambiado de vida y vivo en el campo, más de uno, la verdad. He visto crecer muchos tomates y pepinos, y no solo eso.

Paloma: Mi casa parece un zoo. En los últimos diez años he recogido más de diez perros y gatos.

C. Y tú, ¿has hecho alguna de las actividades de la lista? ¿Más de una vez? ¿Cuándo?

Qué he hecho ya	Cuántas veces	Cuándo

D. Añade a la lista algunas experiencias que importantes para ti, ya sean de viajes, deportivas, gastronómicas, académicas, laborales o personales. Di cuándo sucedieron.

③ Una vida dedicada a...

A. ¿Sabes quién fue Diego Rivera? ¿A qué se dedicó?

B. Aquí tienes algunos datos de su vida. ¿En qué orden crees que sucedieron?

> **Marcadores para ordenar el discurso**
>
> **Primero... después...**
> **A continuación...**
> **Más tarde...**
> **Antes de...**
> **Después de...**
> **Por último / Al final...**

- ☐ Ingreso en la Escuela Nacional de Bellas Artes.
- ☐ Boda con Frida Kahlo, tercer matrimonio.
- ☐ Viaje a EE.UU y encargo de murales para el Detroit Institut of Art.
- ☐ Influencia de las corrientes de vanguardia en París.
- ☐ Boda con Emma Hurtado, cuarto matrimonio.
- ☐ Durante un viaje a Italia pasó al muralismo por la influencia de los frescos del *quattrocento*.
- ☐ Boda con Angelina Beloff, su primer matrimonio.
- ☐ Obtención de una beca para viajar por Europa.
- ☐ Vuelta a México y creación de frescos para edificios públicos.
- ☐ Boda con Guadalupe Marín y nacimiento de sus dos hijas.
- ☐ Viaje a Moscú por una grave enfermedad.
- ☐ Residencia en España durante la Primera Guerra Mundial.
- ☐ Nacimiento de una hija de su relación extramatrimonial con Marievna Vorobieva-Stebelska.
- ☐ Muerte de Frida Kahlo.

Diego Rivera

Yo creo que primero ingresó en la Escuela Nacional de Bellas Artes...

C. Completa ahora la biografía de Diego Rivera con estos verbos en pretérito indefinido y comprueba si has ordenado correctamente los datos del apartado B.

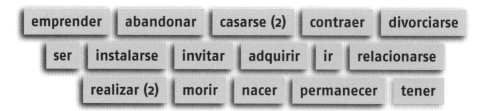

emprender | abandonar | casarse (2) | contraer | divorciarse
ser | instalarse | invitar | adquirir | ir | relacionarse
realizar (2) | morir | nacer | permanecer | tener

> El cantautor canario Pedro Guerra compuso la canción *El elefante y la paloma* inspirándose en la relación entre Diego Rivera y Frida Kahlo. Muchos los llamaban así porque Diego era grandote y obeso, y Frida era pequeña y delgada, como una muñeca de porcelana.
>
> En 1954 cuando Frida Kahlo murió, Diego, profundamente abatido, escribe: "Yo me he dado cuenta que lo más maravilloso que me ha pasado en mi vida ha sido mi amor por Frida".

VIDA Y OBRA DE DIEGO RIVERA

Considerado como el máximo representante de la Escuela Mural Mexicana, Diego Rivera realizó una obra monumental, tanto en cantidad como en volumen. Su brillante personalidad, su gusto por la polémica, además de su talento como pintor, lo convirtieron en un personaje reconocido en el panorama cultural y político del México de los veinte a los cincuenta.

Diego Rivera nació en Guanajuato, en 1886. A los pocos años, ... con su familia a la ciudad de México, donde ingresó precozmente en la Escuela Nacional de Bellas Artes. Allí .... una sólida formación como dibujante y pintor.

En 1909, gracias a una beca para estudiar en Europa, obtenida dos años antes, Rivera .... su viaje por Europa, que lo llevó a París, Brujas, Gante y Londres. En Brujas conoció a la pintora rusa Angelina Beloff, con quien ....

Frida Kahlo y Diego Rivera.

Después de un breve viaje a México, en 1910, Rivera .... en París con Angelina. A partir de ese momento, Rivera se dejó influir libremente por las corrientes de vanguardia que descubrió en Europa. En Montparnasse .... con Picasso, Braque y Modigliani, así como con varios de los integrantes del movimiento futurista italiano. Rivera investigó las posibilidades creativas del cubo-futurismo, pero la mayor influencia la obtuvo de Paul Cézanne.

Refugiado en España durante la Primera Guerra Mundial, presentó el cubismo al público español. En 1915, de nuevo en su apartamento parisiense, siguió practicando el cubismo. A los dos años, después de una polémica con algunos artistas franceses, ... esa tendencia para regresar a una forma de clasicismo.

En 1919 .... una hija fruto de sus relaciones extramatrimoniales con Marievna Vorobieva-Stebelska.

Un viaje a Italia, realizado entre 1920 y 1921, marcó su paso al muralismo. Al descubrir los frescos italianos del *quattrocento*, Rivera concibió la posibilidad de pintar obras monumentales. Este proyecto coincidió con algunas de las ideas del filósofo José Vasconcelos, quien le .... a volver a México en 1921.

Entre 1922 y 1929, Rivera .... algunas de sus más importantes creaciones en México: los frescos de la Secretaría de Educación Pública, los de la Escuela de Chapingo y los de la escalera del Palacio Nacional.

La segunda esposa de Diego .... Guadalupe Marín, modelo de sus retratos y con quien se casó en 1922 en la iglesia de San Miguel de la ciudad de Guadalajara. De esta relación .... dos niñas: Guadalupe y Ruth. Asimismo, otra de las musas de Diego fue Tina Moddotti, quien aparece en murales como *La tierra dormida*, *Germinación* y *Los frutos de la tierra*, entre otros. Mantuvieron una relación amorosa que duró hasta 1927. El 21 de agosto de 1929, Diego Rivera .... con Frida Kahlo, 24 años menor que él.

Viajó entonces a Estados Unidos con Frida Kahlo. Dictó conferencias en Los Ángeles y realizó allí un mural en la Escuela de Bellas Artes. Poco después, contratado por Henry Ford, ... los murales del Detroit Institute of Art, quizás su obra mural de mayor envergadura.

En 1940 .... de Frida Kahlo, pero se volvieron a casar un año después y esta vez la relación duró hasta la muerte de ella, en julio de 1954.

Enfermo de cáncer, viajó a Moscú con la intención de curarse. El 29 de julio de 1955, casi un año después de la muerte de Frida Kahlo, Diego Rivera .... matrimonio con Emma Hurtado, mucho más joven que él y amiga suya desde hacía 10 años. Ella .... a su lado hasta su muerte. .... el 24 de noviembre de 1957 en la Ciudad de México.

[Adaptado de www.elportaldemexico.com/arte/artesplasticas/vidayobradiegorivera.htm]

> **Situar en el pasado un acontecimiento, un hecho concreto o relacionarlo con otro**
>
> **En 2003** me casé.
>
> **El 1 de julio de 2005** nació mi primer hijo.
>
> **Desde 1990 hasta 1999** vivió en Barcelona.
>
> **Entre 2000 y 2006** estudió Medicina en la universidad.
>
> **A los 25 años** comenzó a trabajar. / Comenzó a trabajar **con 25 años**.
>
> **Al año siguiente / Un año después / Al cabo de un año / Un año más tarde** se fue a vivir al extranjero.

D. Haz un pequeño resumen de tu vida. Puedes hacer referencia a tus estudios y a tus experiencias laborales o personales. Después cuéntaselo a tu compañero, que se lo contará al resto de la clase.

4 De profesión, biógrafo

A. Ordena las siguientes imágenes de la vida de una persona. Piensa también cuál puede ser su profesión.

B. Escribe ahora la biografía de la persona según la profesión y las imágenes del apartado anterior.

5 Personajes de habla hispana que han dejado huella

A. Aquí tienes algunos datos de la vida de personajes famosos del mundo hispano. Complétalos con los verbos en el tiempo y la forma adecuados.

| componer | defender | dirigir | fundar | nacer | ser | morir | ganar |

1. La canción *Gracias a la vida* la ...., paradójicamente, un año antes de suicidarse.

2. En 1944 ...., junto a otros defensores de los derechos humanos, la primera organización indígena del Ecuador.

3. .... una de las mejores películas de la historia del cine español: *El verdugo*, en 1963.

4. En los inicios de la colonización de América, ... los derechos de los indígenas.

5. ...., entre otros, el Premio Cervantes en 1981 y el Premio Nobel de Literatura en 1990.

6. .... en Málaga el 25 de octubre de 1881.

7. .... presidente de la II República Española entre 1936 y 1939.

8. .... en Santiago de Chile el 23 de septiembre de 1973, a los 69 años de edad, doce días después del golpe de Estado contra Salvador Allende.

B. A continuación tienes los nombres de las personas y a qué se dedicaron. Relaciona los personajes con las frases anteriores. Busca información en internet si lo necesitas.

Fray Bartolomé de las Casas: fue fraile, cronista, filosófo, jurista y defensor de los indios.

Pablo Picasso: fue un pintor español.

Luis García Berlanga: fue un guionista y director de cine español.

Pablo Neruda: fue un poeta chileno.

Violeta Parra: fue una cantautora, pintora, escultora y ceramista chilena.

Dolores Caucango: fue una líder indígena que defendió el derecho a la tierra y a la lengua quechua para su pueblo.

Manuel Azaña: fue un político y escritor español.

Octavio Paz: fue un poeta, escritor, ensayista y diplomático mexicano.

C. Busca más información sobre alguno de los personajes anteriores y haz una pequeña presentación oral en clase.

6 Antes y ahora: ¿Qué te cambió la vida?

A. Hay acontecimientos que nos cambian la vida. Aquí tienes algunos. Piensa en otros y comenta con tus compañeros de qué manera pueden cambiar nuestra vida.

hacer un viaje	mudarse a otro país
conocer a una persona	empezar a hacer deporte
conseguir una beca	tener un hijo
quedarse sin trabajo	irse a vivir al campo

Bueno, yo creo que cuando tienes un hijo, tienes más responsabilidades y menos tiempo para ti que antes y cambian mucho tus hábitos.

B. Aquí tienes las fotos de tres personas cuya después de un cambio importante en sus vidas. Imagina qué fue lo que influyó en su cambio y cómo era su vida antes.

C. Escucha ahora el testimonio de esas personas y escribe cuál fue el acontecimiento y los motivos del cambio.

	Acontecimiento	Motivo
1.	Se fue a vivir al campo.	Se quedó sin trabajo.
2.		
3.		

D. Escucha otra vez y señala cómo era su vida antes y después del cambio.

	Antes	Ahora
1.		
2.		
3.		

7 Cuéntame, ¿qué te pasó?

🎧 6 **A.** Escucha las anécdotas que cuentan tres personas y decide qué frase resume mejor cada historia.

1
- ☐ La bicicleta llegó a Budapest cuando ya había vuelto de las vacaciones.
- ☐ La bicicleta llegó a Budapest cuando iba a volver de las vacaciones.

2
- ☐ La pareja de personas mayores alquilaba una de las habitaciones de su casa porque vivían solos y tenían una libre.
- ☐ La pareja de personas mayores no alquilaba ninguna habitación pero le ofrecieron alojamiento.

3
- ☐ Cuando una compañera llegó por la mañana, ella acababa de despertarse.
- ☐ Todavía estaba durmiendo cuando llegó por la mañana una compañera.

> Las circunstancias y las explicaciones de los acontecimientos de una narración del pasado van en pretérito imperfecto.
>
> Cuando nos conocimos, yo **tenía** 20 años y **vivía** en Irlanda.
>
> El día que decidimos hacer la excursión, **hacía** mucho frío y **llovía**, así que nos quedamos en casa.
>
> El pretérito pluscuamperfecto se usa para expresar que una acción terminada en el pasado es anterior a otra ya mencionada.

🎧 6 **B.** A continuación tienes los resúmenes de dos de las anécdotas. Elige la forma verbal más apropiada en cada caso. Comprueba con la audición.

Anécdota 1

Un verano **pasó / pasaba** unas vacaciones inolvidables haciendo una ruta cicloturista por el centro de Europa. Antes de salir de viaje, como **fueron / iban** a recorrer 700 km, sus amigos y él **preparaban / habían preparado** muy bien las bicicletas. **Salieron / Salían** todos de Madrid con destino a Budapest. En esta ciudad **se compró / se había comprado** una bicicleta de segunda mano por 49 euros porque la suya **no llegó / había llegado** todavía y si esperaban, **fueron / iban** a perder el tren para ir al pueblo donde **comenzaba / había comenzado** la ruta. Su bicicleta era la peor preparada y siempre iba detrás de todos, pero **completó / completaba** todo el recorrido. Antes de regresar a Madrid, **decidió / decidía** vender la bicicleta por 59 euros, de modo que **ganó / ganaba** 10 euros en la compraventa. Al final volvió del viaje sin ninguna bicicleta, pero cuando **acabó / acababa** de llegar a Madrid, le **avisaron / habían avisado** por teléfono de que su bicicleta ya **llegó / había llegado** a Budapest, pero, claro, ya estaba muy lejos para ir a recogerla.

Anécdota 2

Hace cuatro años, en Bruselas, le **pasó / pasaba** algo increíble. Como **estaba / estuvo** allí haciendo un máster, **necesitó / necesitaba** una habitación. Por eso, **apuntó / apuntaba** varios anuncios de pisos y **llamó / llamaba** a algunos de ellos. Durante todo el día **estuvo / estaba** viendo pisos y por la noche ya **veía / había visto** casi todos. Ninguno de ellos le convencía mucho, así que **decidió / decidía** ver uno más al día siguiente. Como no **tenía / tuvo** el teléfono del piso, **fue / iba** directamente sin avisar. Allí le **recibió / había recibido** una pareja de personas mayores muy amable. Les dijo que **quiso / quería** ver el piso y ellos le **enseñaron / enseñaban** toda la casa. A él no le parecía un piso para compartir ni tampoco de estudiantes. Los señores, además, le **contaron / habían contado** muchas historias sobre cada habitación y sobre su familia. Al final les **preguntó / preguntaba** qué habitación era la que **alquilaron / alquilaban** y le **contestaron / contestaban** que ninguna y que ellos no **ponían / habían puesto** ningún anuncio, de modo que **comprobó / había comprobado** la dirección y **descubrió / había descubierto** que no era el piso que **buscó / buscaba**. Cuando **fue / iba** a marcharse, la pareja, que le **abría / había abierto** las puertas de su casa, le **ofreció / había ofrecido** una habitación. Total que **se alojó / se alojaba** con ellos durante dos meses sin pagar nada.

> Para expresar la causa se pueden utilizar como y porque.
>
> **Como** estaba cansado, me quedé en casa.
>
> Me quedé en casa **porque** estaba cansado.
>
> Para expresar la consecuencia se pueden utilizar los marcadores así que, de modo que, por eso, y si nos referimos al pasado a hechos o acontecimientos puntuales y terminados en el pasado van con el pretérito indefinido.
>
> Cuando fuimos a la tienda, estaba cerrada, **así que** no pudimos comprar el regalo.

C. Ahora escucha de nuevo la tercera anécdota y resúmela tú.

✍ Una vez se quedó dormida y...

D. Y tú, ¿tienes alguna anécdota que te haya pasado? ¿Cuándo fue? ¿Dónde estabas? ¿Con quién? ¿Qué pasó al final? Aquí tienes algunos ejemplos para ayudarte a recordar.

perder un avión	no ir a una cita
olvidarse las llaves de casa o del coche	llegar tarde a un examen
conocer a alguien interesante	organizar una fiesta sorpresa
encontrar algo de valor	...

Leyendas españolas

Los Amantes de Teruel, La Noche de San Juan, La Puerta del Sueño, La Moreneta o La Casa del Duende.

Leyendas hispanoamericanas

La Llorona, Quetzalcóatl o El Dorado.

---

8 **Cuenta la leyenda...**

A. A continuación tienes una leyenda sobre el origen del nombre de la ciudad de Alicante. Ordena los párrafos.

LA LEYENDA DE ALICANTE

La ciudad de Alicante debe su nombre a los musulmanes, quienes la llamaban Al-Laqant o Medina Laqant.

1 La leyenda que explica por qué la ciudad de Alicante se llama así es una historia de amor con final trágico, como la de Romeo y Julieta.

☐ Dicen las crónicas que mientras Almanzor iba rápidamente con sus barcos a las Indias a traer las especias, Alí no se tomó tan en serio su trabajo y se dedicó a escribir poemas a su amada y a hablar de ella a todo el mundo.

☐ Cántara se enamoró de él enseguida sin esperar a ver terminadas las tareas de ambos, la elección ya estaba hecha. Pero un día llegó Almanzor a la costa de Alicante con sus barcos cargados de especias y el Califa, que era hombre de palabra, le concedió la mano de su hija.

☐ El Califa no sabía a quién de los dos entregar la mano de su hija, así que tomó una decisión salomónica: propuso a cada uno de los pretendientes llevar a cabo una tarea concreta. Almanzor debía ir a la India y traer exquisitas especias a su amada, y Alí tenía que llevar las aguas del Río Verde a la ciudad por medio de un gigantesco acueducto.

☐ La corte, impresionada por los hechos, decidió llamar a la ciudad "Alicántara", de donde proviene el nombre actual de la ciudad de Alicante.

☐ Cuenta la leyenda que había una vez una doncella llamada Cántara. Era hija del Califa de la ciudad y, además de su posición social, tenía una belleza sobrehumana, por eso dos jóvenes musulmanes, Almanzor y Alí, se enamoraron locamente de ella.

☐ Alí, desesperado, se tiró al vacío por un barranco. Cántara, sumida en la desesperación también, decidió seguir los pasos de su amor, y se tiró al mar desde el risco de San Julián, que desde entonces se llamó: "el salt de la reina mora", es decir, el salto de la reina mora.

☐ Dicen que el Califa murió de tristeza, y que, sorprendentemente, su efigie apareció grabada en el monte Benacantil.

B. Contesta las siguientes preguntas relacionadas con el texto.

1. ¿Dónde y cuándo sucedió la historia?

2. ¿Quiénes son los protagonistas? ¿Qué les pasó?

3. ¿Cómo termina la historia?

C. En España e Hispanoamérica hay muchas leyendas. Busca información sobre alguna de ellas para contársela a tus compañeros.

9 Tu asociograma

Completa ahora tu propio asociograma con lo que has aprendido en esta unidad.

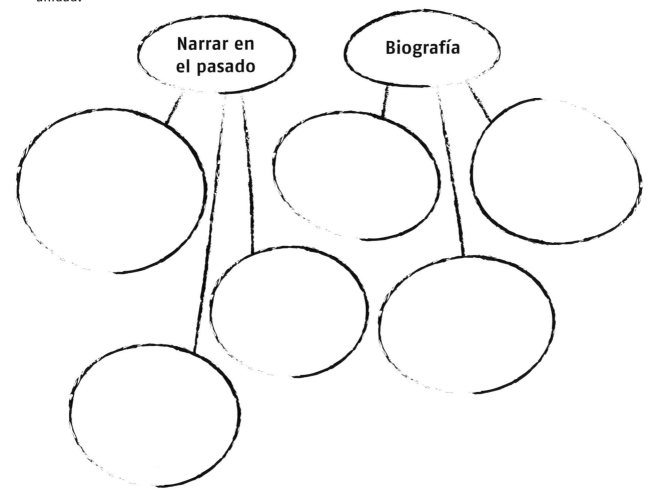

EL PRETÉRITO PERFECTO

▶ El pretérito perfecto es un tiempo compuesto que se forma con el presente de indicativo del verbo **haber** seguido del participio del verbo conjugado.

yo	he	
tú	has	
él, ella, usted	ha	viaj**ado**
nosotros/as	hemos	conoc**ido**
vosotros/as	habéis	viv**ido**
ellos, ellas, ustedes	han	

Usos

▶ Usamos este tiempo cuando no queremos especificar el momento en el que ocurrió una acción. Suele ir acompañado de marcadores como: **alguna vez, muchas veces, siempre, nunca.**

- **¿Has estado alguna vez** en Argentina?
- No, no **he estado nunca.**

▶ Cuando queremos marcar que una acción se ha realizado (con **ya**) o que está pendiente de realizarse (con **todavía no**).

- **Ya he comprado** la entrada para el concierto de mañana.
- Yo **todavía no he podido**...

▶ Para hablar de una acción vinculada con el momento en el que estamos. En estos casos usamos marcadores como: **hoy, esta semana, este mes, este año,** etc.

Esta semana hemos ido al festival de cine documental.
Hoy por la mañana **he ido** a la agencia de viajes.

✍ Los usos aquí descritos sobre este tiempo son propios del español estándar peninsular.

EL PRETÉRITO INDEFINIDO

	TRABAJAR	NACER	VIVIR
yo	trabaj**é**	nac**í**	viv**í**
tú	trabaj**aste**	nac**iste**	viv**iste**
él, ella, usted	trabaj**ó**	nac**ió**	viv**ió**
nosotros/as	trabaj**amos**	nac**imos**	viv**imos**
vosotros/as	trabaj**asteis**	nac**isteis**	viv**isteis**
ellos, ellas, ustedes	trabaj**aron**	nac**ieron**	viv**ieron**

Usos

Usamos el pretérito indefinido para hablar de acciones ocurridas en un momento concreto del pasado y que se presentan como terminadas. Suele aparecer acompañado de marcadores como: **ayer, anoche, anteayer, el año pasado, la semana pasada, en 2005, el 1 de enero, en marzo**...

En marzo del año pasado me **compré** esta casa.

EL PRETÉRITO IMPERFECTO

	TRABAJAR	TENER	VIVIR
yo	trabaj**aba**	ten**ía**	viv**ía**
tú	trabaj**abas**	ten**ías**	viv**ías**
él, ella, usted	trabaj**aba**	ten**ía**	viv**ía**
nosotros/as	trabaj**ábamos**	ten**íamos**	viv**íamos**
vosotros/as	trabaj**abais**	ten**íais**	viv**íais**
ellos, ellas, ustedes	trabaj**aban**	ten**ían**	viv**ían**

Usos

▶ Usamos el pretérito imperfecto para hablar de hábitos o de acciones que se repiten en el pasado.

Antes **iba** todos los días al gimnasio. Ahora no tengo tiempo.

▶ Para describir el contexto o explicar las circunstancias en las que enmarca un hecho.

Tuvimos que cancelar la excursión porque **hacía** mal tiempo.

Yo **tenía** cinco años cuando nos trasladamos a Buenos Aires.

ESTAR + GERUNDIO EN PASADO

Cuando queremos destacar el desarrollo de una acción, usamos **estar** + gerundio.

Esta mañana **he estado estudiando** con Loli.

Ayer **estuve jugando** al tenis desde las cuatro hasta las seis de la tarde.

Estaba viendo una película tranquilamente y, de repente, se fue la luz.

EL PRETÉRITO PLUSCUAMPERFECTO

El pretérito pluscuamperfecto se forma con el pretérito imperfecto del verbo **haber** seguido del participio del verbo conjugado.

yo	había	
tú	habías	
él, ella, usted	había	viaj**ado**
nosotros/as	habíamos	conoc**ido**
vosotros/as	habíais	viv**ido**
ellos, ellas, ustedes	habían	

Usos

El pretérito pluscuamperfecto se usa para marcar que una acción es anterior a otro hecho pasado.

Cuando llegamos a la estación, el tren ya **había salido**.
Se acostó temprano porque la noche anterior no **había dormido** casi nada.

COMPRENSIÓN DE LECTURA **LAS CLAVES DE LA TAREA 2**

EN QUÉ CONSISTE	FORMATO	TIPO DE TEXTO
En esta tarea tienes que extraer las ideas esenciales e identificar información específica en textos informativos no complejos.	Consta de 6 ítems. Cada uno de ellos tiene tres posibles respuestas (A, B o C). Tienes que seleccionar la opción correcta.	Se trata de un texto informativo dentro de los ámbitos público y académico con una extensión de entre 400 y 450 palabras.

Instrucciones

Lee el siguiente artículo que informa sobre la fiesta del Sol en Perú, el Inti Raymi. A continuación responde a las preguntas. Elige la respuesta correcta (A, B o C).

Marca las opciones seleccionadas en la **Hoja de respuestas**.

La fiesta del Sol en Perú: El Inti Raymi

El Inti Raymi, en quechua 'fiesta del Sol', era una antigua ceremonia religiosa andina en honor al Inti, el padre Sol, que se realizaba en los Andes cada solsticio de invierno, que es el día más corto y la noche más larga del año.

Durante la época incaica, el solsticio de invierno era el punto de partida del nuevo año. Ese día, el soberano y sus parientes esperaban descalzos la salida del sol en la plaza. Puestos en cuclillas, con los brazos abiertos y dando besos al aire, recibían al astro rey. Entonces el rey, con dos vasos de oro, brindaba la chicha, un tipo de licor. Se realizaban también ofrendas y sacrificios animales.

Durante la época de los incas, el Inti Raymi era el festival más importante de los cuatro celebrados en Cusco, e indicaba el origen mítico del Inca. Duraba 15 días, en los cuales había bailes y sacrificios. Sin embargo, tras la conquista de los españoles, en el siglo XVI, se prohibió esta celebración, por ser considerada una ceremonia contraria a la fe católica, pero se siguió realizando de manera clandestina.

En 1944 se admitió nuevamente su práctica, más como una tradición que como una creencia. Desde entonces, la ceremonia tiene lugar cada 24 de junio y se ha convertido en un evento público de gran atractivo turístico.

En la época de los incas, esta ceremonia se realizaba en la plaza Huacaypata, hoy Plaza de Armas del Cusco, con la asistencia de la totalidad de la población de la urbe, unas cien mil personas.

En el Cusco de hoy, el Inti Raymi tiene un carácter distinto, de espectáculo dirigido tanto a los turistas como a los propios cusqueños, para quienes es un punto de referencia de su conciencia cultural.

La representación, en la que intervienen miles de personas, empieza frente al Coricancha, el templo del Sol, donde un rey ficticio realiza una invocación al Sol. Los espectadores, mientras tanto, esperan en la explanada de Sacsayhuamán, hacia la que se desplaza de inmediato el cortejo. Este lleva hasta el escenario al rey inca en su litera por grupos que representan a los pobladores. Después se escenifica el sacrificio de una llama, pero no de una manera real, y el inca invoca a su padre el Sol.

El nuevo Inti Raymi es ahora parte inseparable de la vida de Cusco: no solo es el acto central del mes en la ciudad, sino que su fama ha trascendido las fronteras peruanas.

(Adaptado de http://es.wikipedia.org/wiki/Inti_Raymi)

1. En el texto se dice que la celebración del Inti Raymi...

a. tenía lugar solo en Cusco.

b. era una ceremonia para recibir al Sol.

c. era una festividad para honrar a los dioses de los incas.

2. Según el texto, el Inti Raymi en la época incaica...

a. era la única festividad que se celebraba.

b. era un festival de un día de duración.

c. coincidía con un día específico del año.

3. En el texto se informa de que a partir de la conquista de los españoles...

a. fue prohibido el Inti Raymi.

b. dejó de celebrarse la fiesta del Sol.

c. esta festividad perdió su carácter religioso.

4. Según el texto, desde mediados del siglo xx, el Inti Raymi de Cusco...

a. ha cambiado el lugar de su celebración.

b. sigue teniendo únicamente un carácter religioso.

c. es simplemente una atracción turística.

5. En el texto se afirma que en la celebración de la fiesta del Sol que se hace en la actualidad...

a. los espectadores forman parte de la representación.

b. ya no hay sacrificios de animales.

c. la representación se realiza íntegramente en el templo del Sol.

6. Según el texto, la actual celebración del Inti Raymi...

a. se conoce solo en Perú.

b. es representado por los habitantes de Cusco.

c. se realiza desde hace más de seis décadas.

EXPLICACIÓN DE LAS RESPUESTAS

1–B La propia traducción del nombre de la festividad significa la fiesta del Sol, pero, además, en el texto se dice que era una ceremonia en honor a Inti, que es el Sol, y que en una parte de la ceremonia, el soberano y sus parientes recibían al astro rey, que es el Sol.

2–C En el texto se dice que *se realizaba cada solsticio de invierno en los Andes*, y se añade después que es *el día más corto y la noche más larga del año*. Y ese día, precisamente, era el día en el que se recibía al Sol y se hacían las ofrendas.

3–A En el texto aparece claramente la respuesta donde dice: *con la llegada de los españoles en la época de la conquista, en el siglo xvi, se prohibió su celebración.*

4–A En el texto se menciona que: *en la época de los incas, esta ceremonia se realizaba en la plaza Huacaypata, hoy plaza de Armas del Cusco,* y más adelante: *La representación (...) empieza frente al Coricancha, el templo del Sol (...) Los espectadores, mientras tanto, esperan en la explanada de Sacsayhuamán.* Por tanto, se celebra en un lugar diferente del que se celebraba en el pasado.

5–B En el texto se dice que se escenifica pero que no se hace de una manera real, sin embargo en el pasado sí.

6–C Una década son diez años y en el texto se menciona que tiene más de sesenta años de existencia.

🔧 La información que nos van a dar los textos de esta tarea es de tipo cultural, o de divulgación pero no especializada. No tienes que interpretar el texto sino entender la información relevante del tema que trate.

🔧 La información suele darse en una secuenciación lógica y las preguntas de las tareas suelen aparecer en el mismo orden que se da la información en el texto. Puedes leer en primer lugar todo el texto para hacerte una idea general del tema y después buscar la información que se te pide para leerla más detenidamente.

🔧 Pueden aparecer palabras que no conoces, pero intenta relacionarlas con el contexto en el que aparecen para comprender su sentido general. La información que tienes que entender estará relacionada con datos que respondan a las preguntas qué, quién o quiénes, cuándo, dónde, por qué o cómo. También puede dar información sobre el antes y el ahora de un tema o de un personaje, etc., como en el caso del tema propuesto en esta tarea. El tiempo verbal utilizado también te ayudará a entenderlo.

COMPRENSIÓN AUDITIVA **LAS CLAVES DE LA TAREA 2**

EN QUÉ CONSISTE	FORMATO	TIPO DE TEXTO
En esta tarea tienes que captar la idea esencial y extraer información detallada de un monólogo de extensión larga.	Consta de 6 ítems. Cada uno de ellos tiene tres posibles respuestas (A, B o C). Tienes que seleccionar la opción correcta.	Se trata de un monólogo sostenido que describe experiencias personales del hablante. El ámbito puede ser personal, público o académico y la extensión del texto oscila entre las 400 y las 450 palabras.

Instrucciones

Vas a escuchar un programa de radio, titulado *Nada en la vida es imposible*, al que un corredor de maratón llama para contar una de sus experiencias. Escucharás el programa dos veces. Selecciona la opción correcta (A, B o C) para cada pregunta.

Marca las opciones elegidas en la **Hoja de respuestas**.

1. Guillermo llama al programa para...

a. hablar de su primera experiencia deportiva.

b. contar por qué es importante Nueva York para él.

c. compartir y relatar una gran experiencia como corredor.

2. En la grabación, Guillermo cuenta que para prepararse para el maratón...

a. se entrenó más de diez meses.

b. tuvo que seguir una dieta de adelgazamiento.

c. recorría con frecuencia más de 42 kilómetros.

3. El día del maratón, según lo que cuenta Guillermo,...

a. mucha gente salió muy temprano del mismo hotel que él.

b. los organizadores dieron de desayunar a los corredores.

c. no hacía muy buen tiempo.

4. Cuando habla del comienzo del Maratón, Guillermo dice que...

a. se anunció la carrera con una canción de Frank Sinatra.

b. la carrera comenzó después del himno nacional.

c. había muchos helicópteros con pancartas para dar ánimo a los corredores.

5. Guillermo comenta que durante el recorrido...

a. no se sintió cansado en ningún momento.

b. tuvo que renunciar a seguir corriendo a causa de un fuerte dolor.

c. no faltaban las muestras de apoyo de la gente hacia los corredores, con comida y con música.

6. Guillermo dice que...

a. tras finalizar el maratón, comenzó a pensar en el siguiente.

b. fue la presencia de su hijo lo que le animó a continuar.

c. al llegar a la meta besó el suelo.

TRANSCRIPCIÓN DEL AUDIO

Locutor: en el programa de hoy vamos a hablar con Guillermo, un apasionado de los maratones, que nos va a contar su primer Maratón en Nueva York. Bueno, Guillermo, cuéntanos, ¿cómo fue?

Guillermo: Pues se trata de mi experiencia en el Maratón de Nueva York. Cuando descubrí que correr era para mí fundamental, mi vida dio un giro de 180 grados. Aprendí que nada es imposible. A todo aquel que quiera sentirse vivo, le invito a ponerse un objetivo que vaya más allá del deporte.

Locutor: Claro.

Guillermo: Bueno, en la ciudad de Nueva York he vivido grandes momentos: mi luna de miel y la más extraordinaria experiencia deportiva para mí, el Maratón.

Locutor: Y ¿cómo empezó todo?

Guillermo: El viaje hacia Nueva York empezó en casa, con los preparativos para el aeropuerto. Pensaba en los once meses de preparación intensa, que había perdido 15 kilos, que me sentía bien de salud, y que iba a recorrer 42 kilómetros. Todo ello me daba un montón de ánimos.

Locutor: Por supuesto.

Guillermo: Después de horas y horas de vuelo, cuando vi desde el avión la estatua de la Libertad, me di cuenta de que no era un sueño.

Locutor: Y ¿luego?

Guillermo: Bueno, pues el día del maratón, salí del hotel a las cinco y media. Era increíble ver cómo a esa hora por todos lados salía gente que iba al mismo sitio que yo. Hacía mucho frío, pero el calor humano de la gente que regalaba café y donuts lo compensaba, ¿eh? De verdad.

Locutor: Ya lo creo.

Guillermo: En el cielo se veían helicópteros anunciando la carrera y después del himno de los EEUU, se dio la salida. Salimos todos corriendo, cantando el "New York, New York" de Frank Sinatra. Cuando llegué a Brooklyn ya había recorrido unos 16 kilómetros. Mientras corríamos, bandas de música y pancartas con mensajes de apoyo nos motivaban. No notaba el cansancio. Cruzamos el barrio polaco y el alemán, en donde nos regalaron chocolates, agua, plátanos.

Locutor: ¡Uau!

Guillermo: Al poco rato, comencé a sentir un pequeño dolor en la pierna, pero me puse una crema para calmarlo y seguí. Pero como el dolor iba aumentando, acudí a los servicios médicos. Me dieron algo de comer con mucha sal y me recomendaron unos ejercicios. Y pues, como ve veía con fuerzas, seguí corriendo. En la milla 20 o 21 ya no sentía los pies, y mucha gente en este punto abandonó la carrera. En esos momentos mi dolor era ya insoportable, pero ahí estaba el Bronx, donde la gente también nos ofrecía apoyo cantando hip hop, con ritmos africanos. Nuestro objetivo estaba cerca. Cuando faltaban unos cinco kilómetros, pensé en mi hijo diciéndome: "¡Vamos, papi, vamos!" y esto me ayudaba psicológicamente. De repente llegué a la meta. Quería besar el suelo, no lo podía creer. Y empecé a pensar en el próximo maratón.

Locutor: Pues vaya experiencia tan interesante. Muchas gracias, Guillermo por compartir con nosotros y todo nuestro auditorio tu experiencia. ¡Mucha suerte, y hasta la próxima!

Guillermo: Hasta luego.

(Adaptado de http://www.asdeporte.com/portal/club/cexperiencia)

1	2	3	4	5	6
c	a	c	b	c	a

EXPLICACIÓN DE LAS RESPUESTAS

1-C Cuando el locutor presenta a Guillermo dice que este va a contar su experiencia en su primer Maratón, no otro tipo de experiencia deportiva, y Guillermo afirma en la grabación que esta fue la más extraordinaria experiencia deportiva para él.

2-A En la audición Guillermo menciona que pensaba en los once meses de preparación intensa, por tanto más de diez meses.

3-C En la audición Guillermo dice que hacía mucho frío, por lo que esta es la opción correcta.

4-B En la grabación Guillermo dice que tras el himno de los EE. UU. se dio la salida, por tanto esta es la correcta.

5-C En la audición Guillermo comenta en dos ocasiones: *Mientras corríamos bandas de música y pancartas con mensajes de apoyo nos motivaban (...) y la gente también nos ofrecía apoyo cantando* hip hop, *con ritmos africanos.*

6-A Eso lo dice claramente Guillermo al final de la grabación: *Y de repente llegué a la meta (...) Y empecé a pensar en el próximo maratón.*

🔧 En esta tarea una persona cuenta su experiencia relacionada con algún aspecto personal, laboral o académico, por lo que en primer lugar lee las instrucciones donde se mencionará quién va a hablar y sobre el tema del que va a hablar la persona. Esto te ayudará a entender el contexto de la experiencia que vas a escuchar.

🔧 Tienes 30 segundos para leer las preguntas antes de escuchar la grabación. Marca en el enunciado de las preguntas y en las opciones de respuesta las palabras clave y los datos sobre los que vas a tener que prestar mayor atención cuando escuches la audición. En total serán seis los datos o las informaciones sobre las que focalizarás tu atención.

🔧 No tienes que interpretar lo que escuches, porque se trata de la descripción y la narración de una experiencia, sino entender cuál ha sido la experiencia de la persona que habla, y qué le pasó. Tendrás que prestar atención al lugar en el que pasó, cuándo, con quién, por qué, etc. La descripción y narración suelen ser lineales, por lo que las preguntas también seguirán dicho orden.

🔧 La audición la vas a escuchar dos veces, por lo tanto, con la primera audición contesta a las preguntas que te resulten más claras y en la segunda audición focaliza tu atención en los detalles que no has percibido o te ha costado trabajo entender en la primera.

🔧 No olvides pasar tus respuestas a la Hoja de respuestas. Tienes unos 30 segundos para hacerlo.

EXPRESIÓN E INTERACCIÓN ESCRITAS **LAS CLAVES DE LA TAREA 2**

EN QUÉ CONSISTE	FORMATO	TIPO DE TEXTO
En esta tarea tienes que redactar un texto descriptivo o narrativo en el que expreses opinión y aportes información de interés personal, relacionada con experiencias personales, sentimientos o anécdotas.	Redactar una carta o mensaje de foro, correo electrónico o blog..., que puede incluir descripción o narración. La extensión del texto que debes escribir es de unas 130–150 palabras.	Vas a contar con un estímulo escrito en forma de breve noticia de una revista, blog o red social, que te va a ayudar a contextualizar el texto de salida. La extensión del texto de entrada es de 40 palabras aproximadamente. También vas a tener unas instrucciones o pautas para la redacción del texto de salida. Los ámbitos van a ser el personal y el público.

Instrucciones:

Tienes que elegir solo una de las dos opciones propuestas.

Número de palabras: entre 130 y 150.

OPCIÓN 1

Lee esta entrada en el foro de los cursos internacionales de una universidad española.

Escribe un comentario en el que cuentes:

- de qué país eres y qué elegiste como lo más típico y representativo de tu cultura;

- cómo fue la experiencia y qué fue lo más interesante de ella;

- si habías participado en fiestas como esta anteriormente;

- qué es lo más positivo de que se celebren estos eventos, según tu opinión.

Una vez más nuestra universidad ha celebrado exitosamente la fiesta de los cursos internacionales: una fiesta multicultural con estudiantes provenientes de los cinco continentes. Deseamos que todos los que colaborasteis nos contéis vuestras experiencias para compartirlas con todos los demás participantes y con los que no pudieron asistir. ¿De qué país sois y cómo disteis a conocer lo más típico y representativo de vuestra cultura?

OPCIÓN 2

Lee el siguiente mensaje publicado en la página web de un centro de idiomas.

Redacta un texto en el que deberás:

- presentarte e indicar tu país de origen;

- decir cuándo comenzaste a estudiar español y por qué;

- mencionar cuál ha sido tu experiencia con la lengua y si has estado en algún país hispanohablante;

- por qué crees que es importante aprender otras lenguas.

Con ocasión del día del español, nuestro centro de idiomas quiere que todos los estudiantes compartáis vuestras experiencias en el aprendizaje del español. Dinos de dónde eres, por qué empezaste a estudiar español, cuánto tiempo llevas estudiándolo, si vas a seguir ampliando tus conocimientos y cuál es la importancia de aprender otras lenguas.

EJEMPLO DE PRODUCCIÓN ESCRITA

Opción 1

Me llamo Nilson y soy brasileño. En los cursos internacionales de este año había otros tres estudiantes más de Brasil, así que entre los cuatro decidimos, como se trataba de una fiesta, preparar unas caipiriñas, que son fáciles de hacer. La caipiriña la podemos considerar la bebida nacional de nuestro país. Es un poco fuerte, pero está muy rica. En cuanto a la música, en nuestro país hay una gran variedad de estilos musicales, pero seleccionamos para el baile música de samba y de *bossa nova*. Éramos pocos los brasileños, pero animamos mucho la fiesta.

Era la primera vez que participaba en una fiesta internacional y fue una experiencia única. Tuve la oportunidad de conocer un poquito más la cultura de compañeros de muchos países: italianos, holandeses, alemanes, griegos, japoneses, etc., pero sobre todo de hacer muchos amigos ese día. Creo que esto es lo más positivo.

EJEMPLO DE PRODUCCIÓN ESCRITA

OPCIÓN 2

Me llamo Michaela y soy rumana. Empecé a estudiar español hace tres años yo sola por las series y telenovelas hispanoamericanas que ponían en la televisión y que me gustaban mucho. Al principio solo entendía algunas palabras, pero poco a poco me resultaba más fácil comprender lo que veía, pero no podía ni hablar ni escribir, así que hace dos meses decidí hacer un curso de verano en España y aquí estoy. Las clases son muy dinámicas y aprendo muchas cosas tanto de la lengua como de la cultura. Además, tengo la oportunidad de hablar en español todos los días tanto en clase como en la calle. Para mí la mejor experiencia es poder comunicarme con cierta facilidad en español. Hasta ahora ha sido la única vez que he estado en España y no he visitado ningún país hispanoamericano. En el futuro seguro que lo haré y por eso tengo la intención de continuar estudiando español en mi país. Creo que aprender otra lengua es como abrir una ventana a un nuevo mundo. Es crecer como persona.

En esta segunda tarea hay dos opciones de las que tendrás que elegir una de las dos. Léelas y elige aquella sobre la que puedas expresarte más fácilmente, por la familiaridad con el tema o por tu experiencia personal.

En esta tarea se te va a evaluar tu capacidad de describir o narrar una experiencia personal, un sentimiento o una anécdota y expresar tu opinión en base a un contexto propuesto en el texto de entrada. Lee bien el texto de entrada para saber qué tipo de texto tienes que escribir y adecuarte a la estructura. Y a continuación lee bien las pautas propuestas, que te van a servir de esquema para tu escrito.

Piensa que tienes que escribir entre 130 y 150 palabras, es decir, unas 15 líneas. No es necesario que te extiendas demasiado en cada una de las pautas, pero sí escribir de manera precisa sobre cada una de ellas. Eso será suficiente para cubrir el número de palabras exigido.

EXPRESIÓN E INTERACCIÓN ORALES **LAS CLAVES DE LA TAREA 2**

EN QUÉ CONSISTE	FORMATO	MATERIAL DE ENTRADA
En esta tarea debes participar en una conversación sobre el tema de la tarea 1. El entrevistador preguntará por tu opinión o tu experiencia personal en relación con el tema.	Se trata de conversar con el entrevistador a partir de la tarea 1. Duración: 3-4 minutos.	El entrevistador planteará una serie de preguntas relacionadas con el tema de la tarea 1.

Instrucciones

Cuando hayas terminado tu exposición (tarea 1), deberás mantener una conversación con el entrevistador sobre el mismo tema durante 3 o 4 minutos.

EJEMPLO DE PRODUCCIÓN ORAL

ENTREVISTADOR: En general, ¿te gustan los animales?

CANDIDATO: Sí, me gustan mucho y por eso me gusta que se respeten sus derechos. No entiendo cómo puede haber personas indiferentes hacia ellos.

ENTREVISTADOR: ¿Y cuál es tu animal favorito?

CANDIDATO: No tengo uno solo, pero cuando era pequeño me gustaban mucho los caballos y los delfines. Los caballos porque eran grandes, libres y muy elegantes. Los delfines me parecían los animales más simpáticos de todos. Ahora me siguen gustando mucho.

ENTREVISTADOR: En relación con los animales domésticos, ¿tienes o has tenido alguna vez una mascota? ¿Qué tipo de mascota?

CANDIDATO: Sí, he tenido en el pasado. Cuando era pequeño, mi familia tuvo varios perros durante muchos años, y después, yo tuve un gato.

ENTREVISTADOR: ¿Por qué decidiste tenerlo?

CANDIDATO: El gato, bueno, la gata la encontré en la calle. La habían abandonado y necesitaba cuidados, así que decidí adoptarla. Murió hace tres años y no he vuelto a tener ningún animal doméstico. Estoy muchas horas fuera de casa por mi trabajo y también viajo mucho, por eso prefiero no tener por el momento ninguna otra mascota, pero me gustaría.

ENTREVISTADOR: ¿Qué piensas que hay que tener en cuenta a la hora de adquirir una mascota?

CANDIDATO: Para mí, lo principal es saber que un animal no es un juguete y que necesita nuestros cuidados, y durante muchos años. Por eso, es importante ser responsable. También depende de si es una familia o una persona sola, quién se va a encargar de alimentar al animal, etc. Después de esto, pues lo mejor es adoptar un animal que necesite un hogar. Hay muchas asociaciones de animales que recogen animales abandonados. Nunca compraría una mascota.

ENTREVISTADOR: Pues hemos terminado con la tarea 2 y pasamos a realizar ahora la tarea 3.

Esta tarea está relacionada con la tarea 1, por lo que, aunque no te la has preparado porque no sabes las preguntas que va a hacerte el entrevistador, sí que en los 15 minutos que tienes para prepararte la tarea 1 puedes pensar en posibles preguntas que te pueden hacer sobre el tema.

Las preguntas que suele hacer el entrevistador en esta tarea son entre cuatro o cinco, muy concretas en relación con el tema. Suelen ser preguntas sobre tus gustos, tus preferencias, tu experiencia personal sobre el tema: qué, cuándo, dónde, por qué (en este último caso deberás expresar tu opinión sobre el tema).

Lo importante es contestar con tranquilidad, mostrando seguridad en tus respuestas. Piensa que vas a seguir hablando del mismo tema que te preparaste para el monólogo y que en general no vas a tener problemas para entender las preguntas. Si eso sucede, no dudes en pedir al entrevistador que te la repita: "Perdone, no sé si he entendido bien la pregunta. ¿Me la puede repetir?"

La conversación dura entre 3 y 4 minutos, más o menos es el tiempo que dura la interacción entre cuatro o cinco preguntas con sus respuestas, por eso cuando respondas, no te limites a decir sí o no, siempre tendrás que justificar tus respuestas de una manera clara, sencilla y aportando los datos o ejemplos necesarios.

En esta unidad vamos a hablar de nuestros gustos y preferencias en el tiempo libre y en nuestra vida cotidiana. También vamos a expresar nuestro interés por las cosas y a preguntar a los demás sobre sus intereses, intenciones, estado de ánimo, etc.

3

Para gustos... los colores

Para ello vamos a aprender:

Recursos para la comunicación

❯ Expresar gustos, deseos, sentimientos y preferencias ❯ Pedir información sobre los intereses de los demás ❯ Preguntar por habilidades ❯ Expresar habilidad para hacer algo ❯ Hablar de la vida cotidiana, los acontecimientos familiares y las actividades de ocio

Léxico

❯ Léxico relacionado con el tiempo libre y la cultura: literatura, cine, música, danza, espectáculos, deporte, etc.

Gramática

❯ El sustantivo ❯ Los demostrativos y los intensificadores ❯ Tiempos verbales de indicativo: presente, futuro, la perífrasis **ir a** + infinitivo ❯ Perífrasis de infinitivo y de gerundio ❯ Oraciones condicionales

Cultura

❯ Programación de actividades de la ciudad de Cádiz y la oferta del Instituto de la Juventud de Valencia ❯ Artículos, cartas, diarios, blogs, etc. sobre el tiempo libre en países de lengua española

Mi día a día

Trabajo
Voy al trabajo a las...

Estudio
Los lunes tengo clase por la mañana.

Tiempo libre
En mi tiempo libre me gusta...

Gustos y preferencias

Intenciones
Mañana voy a salir a correr.

Intereses personales
Me interesan mucho las exposiciones de arte.

Pedir información
¿Sabes cuándo inauguran la exposición de...?

① A mí me encanta...

A. Completa las frases con los siguientes verbos según tus gustos o intereses.

gustar   interesar   encantar   molestar   apetecer

1. .... pasear por el parque los domingos por la mañana.

2. Los cursos de idiomas .... mucho.

3. .... que los compañeros hablen en clase cuando está explicando el profesor.

4. .... cambiar de gimnasio, porque el mío lo encuentro pequeño.

5. La natación y el tenis son los deportes que más ....

B. Continúa las frases con verbos que expresen gustos o intereses. Intenta no utilizar siempre el verbo gustar.

1. Los fines de semana ....

2. Por la noche ....

3. Cuando viajo ....

4. En clase ....

5. En el trabajo ....

6. Cuando salgo con mis amigos ....

C. Ahora habla con tu compañero sobre estos temas. ¿Os interesan las mismas cosas? Sigue el ejemplo.

El baile	Las comidas en familia
El cine	Las bodas
El teatro	Las exposiciones
El deporte	La música

● A mí me gusta mucho bailar. ¿Y, a ti?
○ No, a mí bailar no me gusta, prefiero escuchar música en casa.

2 Tengo visita

A. Juanra va a ir a visitar a su prima Elsa y le envía un correo para organizar la visita. Léelo y di si las siguientes afirmaciones son verdaderas (V) o falsas (F). Corrige las falsas como en el ejemplo.

> Hola, Elsa:
>
> ¿Qué tal te va? Yo estoy bien, aunque un poco liado con la preparación del viaje a Cádiz para ir a visitarte. Verás, resulta que se lo dije a la tía Martina y me dijo que le apetecía venirse conmigo a verte. Después ella se lo dijo a la abuela y... bueno, ya sabes, la abuela se apunta a lo que haga falta y ¡que se viene también! Creo que te llamó para decírtelo, ¿verdad?
>
> La situación es la siguiente: yo quiero que me lleves a alguna exposición, que acabo de terminar un curso de artes gráficas y me interesa ver muchas cosas. La tía Martina quiere disfrutar del sol y ya sabes cómo es, querrá estar tirada todo el día en la playa. Y la abuela hace lo que le digamos, pero tú la conoces y seguro que querrá ir de compras y probar algún vinito de la zona, de Jerez. No sé si te lo ha dicho, pero acaba de hacer un curso de enología.
>
> Sé que estás trabajando mucho, pero... por favor, intenta organizar un poco la visita, que yo desde aquí no tengo ni idea y me están volviendo loco.
>
> Un besito,
>
> Tu primo Juanra

	V	F
1. Juanra está muy tranquilo en estos momentos. *Juanra no está muy tranquilo. Está liado porque está preparando el viaje a Cádiz.*		X
2. Juanra va a Cádiz para realizar una exposición fotográfica.		
3. Juanra va a ir él solo a visitar a Elsa.		
4. Martina es tía de Juanra y de Elsa.		
5. A la abuela de Juanra y a Martina no les gusta hacer nada.		
6. Juanra tiene todo el viaje programado.		

B. Aquí tienes una página web de turismo de Cádiz donde aparecen las actividades programadas este mes en diversos lugares. Decide qué actividades serían adecuadas para cada familiar de Elsa.

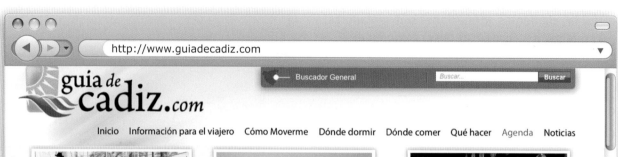

http://www.guiadecadiz.com

guia de cadiz.com

Buscador General | Buscar... | Buscar

Inicio   Información para el viajero   Cómo Moverme   Dónde dormir   Dónde comer   Qué hacer   Agenda   Noticias

FERIA DEL CABALLO

Localidad: Campiña de Jerez de la Frontera
Lugar: Parque González Hontoria
Fecha: mayo

Vino, caballo y flamenco se dan la mano en uno de los acontecimientos más importantes y esperados de cuantos celebra la ciudad a lo largo de todo el año.
El caballo español se erige en protagonista de esta feria donde el colorido, la alegría y la fiesta se adueñan de su escenario, donde se refleja la inconfundible luz de Andalucía.

SANCTI-PETRI

Localidad: Bahía de Cádiz · Chiclana de la Frontera
Bandera azul: sí
Tipo arena: fina dorada
Tipo playa: urbanizada

Esta playa de aspecto aislado se extiende desde el puerto deportivo de Sancti-Petri hasta la torre almenara de Torre Bermeja. Es una playa de arena fina y dorada, con dunas activas en la parte interior. Es un lugar en el que se puede practicar el buceo. A medida que se avanza hacia el sureste va incrementándose la altura del acantilado.

BODEGAS SANDEMAN

Localidad: Campiña de Jerez de la Frontera
Variedades: uva blanca: Palomino Fino y Pedro Ximénez

Nuestro centro de visitas, que carece de barreras arquitectónicas, goza de una ubicación privilegiada entre la Real Escuela Andaluza del Arte Ecuestre y los Museos de la Atalaya. Sandeman le propone un viaje muy especial, un viaje en el que se combinan la experiencia y saber hacer de una tradición de más de dos siglos, con modernos medios audiovisuales para descubrirles el apasionante recorrido que convierte el fruto de los viñedos de Jerez en uno de los vinos más genuinos y famosos del mundo.

MIGUEL CAMPELLO (EL BICHO)

Localidad: Bahía de Cádiz · Cádiz
Lugar: Baluarte de la Candelaria
Fecha: agosto

El cantante de El bicho se lanza en solitario aprovechando el descanso que el grupo ha decidido tomarse tras 10 años de carretera y 4 discos, gracias a los cuales se ha convertido en una de las bandas de flamenco-rock con más fuerza y originalidad de la última década.
En concierto el 3 de agosto en el Baluarte de la Candelaria de Cádiz. Próximamente información sobre el precio y la venta de entradas.

INTERIORES ROBADOS

Localidad: Bahía de Cádiz · Cádiz
Lugar: muros exteriores del Mercado de Abastos
Fecha: todo el año

El Ayuntamiento de Cádiz ha sacado a la calle parte de la colección de fotografías *Interiores robados*, anteriormente expuestas en la Diputación Provincial. Esta muestra pertenece a los artistas gaditanos Juan Carlos González-Santiago y José Manuel Vera Borja, y se creó con motivo de la celebración del Bicentenario de la Constitución de 1812. Las fotos recrean el ambiente de la capital gaditana en los siglos XVIII y XIX.

MUSEO DEL TÍTERE

Localidad: Bahía de Cádiz · Cádiz
Fecha: mayo

El Museo del Títere se estrena con una muestra de marionetas mexicanas. 80 piezas integran *Identidad y Teatro Popular* de la colección Rosete-Aranda-Espinal.
También se inaugurará una exposición fotográfica sobre teatro mexicano actual y la obra reciente de Diego Pombo.

	Juanra	Tía Martina	Abuela
Actividades			

C. Y a ti, ¿qué te gustaría hacer en Cádiz? Escribe tres actividades y coméntalo con tu compañero.

3 ¿Qué haces en tu tiempo libre?

A. ¿Disfrutas al máximo de tu tiempo libre? Elige una opción de cada par de actividades que la gente suele hacer en su tiempo libre. Coméntalo con tu compañero siguiendo el ejemplo.

A. Leo libros obligatorios en mis estudios.	**B.** Leo libros que elijo yo por placer.

Prefiero leer libros que elijo yo, pero ahora llegan los exámenes y tengo que leer todos los que ha mandado el profesor de Literatura.

A. Veo documentales sobre economía o para mi trabajo.	**B.** Veo los últimos estrenos del cine.

A. Quedo con mis compañeros de trabajo o de clase.	**B.** Quedo con mis amigos.

B. ¿Has elegido mayoría de A o mayoría de B? Lee las siguientes conclusiones y di si estás de acuerdo con lo que dicen.

Mayoría de respuestas A. Para ti el tiempo libre no existe. No das prioridad a tu vida, sino a tus estudios o trabajo. Prefieres no desconectar de lo que has hecho durante el día o durante la semana y corres el riesgo de que tus amigos o familiares te abandonen. Según las estadísticas de los últimos años, los jóvenes que empiezan un trabajo se olvidan del ocio, de disfrutar de un buen libro, de pasarlo bien saliendo con los amigos de siempre e incluso de pararse un minuto a reflexionar sobre la familia.

Mayoría de respuestas B. Tú sí que sabes vivir. Para ti lo mejor es una buena charla con tus amigos, una tarde de música relajándote en casa y un buen libro. Según las estadísticas, pocas personas saben disfrutar de su tiempo libre pero las personas que lo hacen, suelen tener mayor éxito en la vida. Sigue así, aunque claro, no olvides que trabajar también es importante.

Creo que es verdad, yo disfruto poco de mi tiempo libre porque prefiero...

4 Juventud, divino tesoro

A. Lee el título de esta actividad. ¿Qué crees que puede significar? ¿Cómo lo explicarías con tus propias palabras? Coméntalo con el resto de la clase.

B. Vas a escuchar a una trabajadora de la Concejalía de Juventud del Ayuntamiento de Valencia hablar sobre una plataforma de actividades de tiempo libre. Anota en la tabla la información que da sobre tres áreas de la plataforma.

Diviértete aprendiendo idiomas	Come bien y cuídate	Cultura imprescindible
¿Qué idiomas?	¿Qué actividades?	¿Qué objetivos?
1.	1.	1. ....
2.	2.	2. ....
3.	3.	3. ....
Los findes de la juventud	**Formación y nuevas tecnologías**	**Naturaleza a tu alcance**
¿Qué actividades?	¿Qué objetivos?	¿Qué actividades?
1.	1.	1. ....
2.	2.	2. ....
3.	3.	3. ....

C. A continuación tienes otras actividades de la Concejalía de Juventud. ¿Con qué áreas las relacionarías? Escríbelas donde corresponda en la tabla de arriba.

PASTELERÍA, TODO CON NARANJA	CÓMO CREAR UN CLUB DE LECTURA INCLUSIVO	CÓMO ESCRIBIR UNA NOVELA
Nos centraremos en la elaboración de postres en los que el ingrediente principal será un producto muy típico de Valencia: la naranja. Realizaremos diversos postres que irán descubriéndonos las posibilidades de la naranja dentro del mundo de la repostería. **¿QUIÉNES PUEDEN HACER ESTOS CURSOS?** Jóvenes de 16 a 35 años. **¿CUÁNDO?** Todos los viernes del mes de marzo. De 17.30 h a 19 h. **¿DÓNDE?** En el CMJ de Algirós, C/ Campoamor, 91 46022 Valencia. **¿CUÁNTAS PLAZAS?** PLAZAS: 30. PRECIO: gratuito.	En este curso se adquirirán herramientas de animación sociocultural para crear un club de lectura. También se fomentará la inserción social de las personas usuarias y se enseñará cómo llegar a nuevos públicos para hacer que el club sea un punto de encuentro donde se aprenda a vivir la diversidad de un modo natural y positivo. **¿QUIÉNES PUEDEN HACER ESTOS CURSOS?** Monitores de tiempo libre de 18 a 35 años. **¿CUÁNDO?** Todos los martes de febrero y abril. De 17 a 20 h **¿DÓNDE?** En el CMJ Patraix, C/ Salabert, 13 4ª planta 46018 Valencia. **¿CUÁNTAS PLAZAS?** PLAZAS: 15. PRECIO: gratuito.	¿Te gustaría escribir tus propias historias? ¿Conocer los secretos y trucos que hay detrás de tus novelas favoritas? Aprenderás a crear personajes, lugares, argumentos… siguiendo paso a paso el proceso de creación de una novela de forma amena y divertida. **¿QUIÉNES PUEDEN HACER ESTOS CURSOS?** Adolescentes y jóvenes de 14 a 18 años. **¿CUÁNDO?** Todo el mes de mayo por las tardes. De 18 a 19 h. **¿DÓNDE?** En el CMJ Trinitat, C/ Almazora, 30 46010 Valencia. **¿CUÁNTAS PLAZAS?** PLAZAS: 15. PRECIO: gratuito.

D. Propón un curso siguiendo los modelos de la actividad anterior. Puedes utilizar este esquema.

NOMBRE DEL CURSO
OBJETIVO DEL CURSO
HORARIO
LUGAR
PLAZAS
DESTINATARIOS
PRECIOS

E. ¿Cuál es el curso más interesante de la clase? ¿Cuál te interesa más?

A mí me interesa mucho el curso de... porque...

5 No hay nada que hacer

A. Los Muñoz y los García son dos familias con niños de la misma edad y quedan muchas veces, pero les cuesta ponerse de acuerdo. Ordena la siguiente conversación.

(1) ¿Qué tal si vamos a la playa este fin de semana?

¿Esos? Esos nunca opinan nada, están todo el día con el móvil... (.....)

Bueno, pues entonces... ¿qué queréis que hagamos? ¿Quedarnos en casa? (.....)

Pues... no sé, no creo que eso sea lo ideal, va a llover. (.....)

Vale, por nosotros bien, pero realmente no sé si los chicos van a estar de acuerdo. (.....)

No me hables de prohibiciones, que eso me tiene muy enfadado... ¡No sirven para nada! (.....)

Mmhh... bueno, dejemos el tema. Entonces, vale, mañana al zoo. (.....)

De acuerdo, mañana a las tres. **(10)**

Los nuestros lo tienen prohibido y solo lo usan de seis a siete de la tarde. (.....)

¡Hombre, yo no he dicho eso! A lo mejor podemos ir al zoo, ¿qué os parece? (.....)

Los pronombres demostrativos

Esto, eso y **aquello** hacen referencia a algo dicho con anterioridad.

Yo no dije **eso**, **eso** lo dijiste tú.

No me hables de **aquello**, no quiero oírlo otra vez.

Los intensificadores

El uso de algunos adverbios intensificadores ayuda a enfatizar el sentido de la frase.

Realmente, este es el mejor restaurante de la ciudad.

Verdaderamente, es una pena que no estés aquí.

B. Fíjate en las expresiones subrayadas en la conversación anterior. ¿Entiendes el sentido de cada una en la conversación? ¿Cómo expresarías lo mismo en tu lengua? ¿Existen equivalentes?

"Vale" en inglés se dice "OK".

C. Reacciona a las siguientes preguntas o afirmaciones usando los marcadores del apartado anterior y los de la columna lateral.

¿Quieres un helado?

¡Vale! Me apetece mucho.

1. ¿Te apetece ir al cine mañana?

2. Este fin de semana voy a quedarme en casa estudiando.

3. Hay una exposición de fotos en el museo de arte contemporáneo, ¿te apetece venir conmigo?

4. Esta semana empezaré a dar clases de tango.

5. Acabo de terminar todo el trabajo que tenía para esta semana.

6. Aunque no tenga dinero, seguiré comprándome libros y no los fotocopiaré.

Marcadores conversacionales

- **Mira, pues...** ¿sabes lo que te digo? Que no voy a ir al cine contigo, que siempre te estás quejando.
- **¿Sabes qué?** Que me da igual, que yo tampoco quiero ir contigo a ningún lado.
- **¡Hombre!** No os enfadéis, que no es para tanto.
- **Si es que...** siempre estamos igual.
- **Mujer,** tú ya lo conoces, le encanta el cine y tú siempre criticas todo.
- **A ver,** eso no es verdad. Critico lo que no me gusta.
- **Bueno, bueno...** a ver si ahora te vas a enfadar conmigo.
- **¡Vaya!** Siempre igual, creéis que soy yo la culpable de estas riñas.
- **Pues claro,** siempre empiezas tú y...

6 El día y la noche

A. Mario es un amante de la noche y Sandra, del día. Lee las siguientes frases sobre acciones cotidianas que cada uno de ellos hace y relaciónalas con uno (M) o con la otra (S). Algunas actividades pueden relacionarse con los dos.

- Leer con la luz muy suave.
- Ver películas cuando nadie molesta.
- Hablar por teléfono con los amigos.
- Chatear con amigos de otras partes del mundo.
- Escuchar música muy alta en casa.
- Estudiar con otros compañeros en la biblioteca.
- Comer un plato de espaguetis mientras ve la tele.
- Ir a diferentes discotecas en pocas horas.
- Ir de compras.
- Ir a clases de pintura.

B. ¿Con quién coincides más: con Mario o con Sandra? Coméntalo con un compañero y anotad en el recuadro otras actividades que se pueden hacer de día o de noche.

Actividades diurnas	Actividades nocturnas

Yo suelo hacer más cosas por el día que por la noche pero coincido con Mario en algunas cosas, por ejemplo leo con la luz muy suave para dormirme.

C. Haz el siguiente test para saber si eres más bien nocturno o diurno.

1 Suena el despertador, es hora de levantarse. ¿Qué haces?

☐ a. **Salto de la cama**, dispuesto a empezar el nuevo día.

☐ b. Apago el despertador y **doy unas cuantas vueltas más en la cama**.

☐ c. Me pongo la almohada encima de la cabeza y **continúo durmiendo**.

2 Mañana tienes un día libre sin compromisos. ¿A qué hora decides levantarte?

☐ a. Tan pronto como pueda, antes de las 7, sin duda alguna.

☐ b. Entre las 8 y las 10.

☐ c. ¿Por qué levantarme? Me quedo en la cama hasta que pueda.

3 Tienes un examen importante. ¿Cuándo estás más nervioso?

☐ a. A primera hora de la mañana.

☐ b. Por la tarde.

☐ c. Cuando estoy a punto de irme a la cama el día de antes.

4 Un amigo te propone ir al gimnasio entre las 7 y las 9 de la mañana, ¿qué respondes?

☐ a. **Para nada**, es demasiado pronto para mí.

☐ b. Vale, siempre y cuando pueda irme después a casa a **echarme** un rato.

☐ c. Le propongo un horario nocturno entre las 21 y las 23 h.

5 ¿A qué hora te sueles ir a la cama?

☐ a. **Me muero de sueño** hacia las diez de la noche.

☐ b. No me voy a la cama antes de las doce.

☐ c. No tengo un horario fijo, depende del día siguiente.

6 Te han invitado a una fiesta que durará toda la noche.

☐ a. Es un horror, me dormiría en los sillones.

☐ b. Voy, pero sobre las tres ya **estoy de vuelta en casa**.

☐ c. Llego un poco tarde y me quedo hasta que salga el sol.

D. Escribe cada una de las expresiones en negrita del apartado anterior al lado de su equivalente correspondiente.

1. Tumbarme a dormir. ....

2. He regresado. ....

3. De ninguna manera. ....

4. Me levanto rápidamente. ....

5. Tengo muchas ganas de dormir. ....

6. Seguir durmiendo. ....

7. No me levanto inmediatamente de la cama. ....

E. Compara tus respuestas con las de un compañero y después comentad qué cosas hacéis vosotros también.

● Yo también doy muchas vueltas en la cama antes de levantarme.
○ Pues yo no, en cuanto suena el despertador...

7 Chateando

A. Lee los siguientes chats que se han intercambiado amigos de diferentes países y contesta a las preguntas.

1

 rach:
¡Qué onda! ¿Hay alguien por ahí?

 jorge:
¡Qué onda, Raquel, aquí andamos!

 rach:
¿Sabes dónde están los demás?

 jorge:
Sí, los vi hoy en la tarde.

 rach:
Y qué... ¿plan en la noche?

 jorge:
Claro, vamos a ir al Bosque de Chapultepec, al museo de antropología. Va a haber un *happenning* muy interesante sobre la vida de Frida Kahlo y después hay un cóctel.

 rach:
¡Qué bien!, ¿puedo ir?

 jorge:
Te marco al ratito para ponernos de acuerdo.

 rach:
¡Órale, va!

2

 Diego:
Hola, soy un chico argentino, me gustaría ponerme en contacto con algún colombiano.

 Jess:
¿Qué hubo, Diego? Yo soy Jess, de Bogotá. ¿Cómo le puedo ayudar?

 Diego:
Gracias, Jess, por responder. Mirá, voy a pasar unos días en Bogotá y no sé qué hacer, qué visitar...

 Jess:
Bueno, lo primero es ir al Barrio de la Candelaria a tomarse un tinto, que acá es un café, no se confunda :) y después tiene que visitar el centro de la ciudad, la catedral y todos sus monumentos.

 Diego:
¿Es linda la ciudad?

 Jess:
Es lindísima y verás que en esta época del año es muy chévere.

 Diego:
¡Che, gracias! La visitaré y me tomaré ese café o tinto, jajaja.

3

 Ric:
Oye, Pat, llega un amigo cubano a Madrid, ¿qué me aconsejas que hagamos?

 Pat:
¡Hombre! En Madrid podéis hacer mil cosas, por el día id a dar una vuelta por el Madrid de los Austrias, por la plaza Mayor, después a la Cibeles...

 Ric:
No, quería decir ¿qué se te ocurre para hacer por la noche?

 Pat:
Ufff, de todo... Podéis ir a tomar unas tapas al mercado de San Miguel, que está genial, y después ¿qué tal si os tomáis unas copas en Malasaña o en Chueca? Son barrios diferentes, pero le gustarán.

 Ric:
¡Me encanta! Tienes razón, iremos allí.

	Chat 1	Chat 2	Chat 3
País donde se proponen las actividades			
Actividad diurna			
Actividad nocturna			

B. Imagina que alguien de un país extranjero se pone en contacto contigo a través de un chat y te dice que está en tu ciudad y que querría saber qué hacer, ¿qué le propondrías? Completa el chat.

C. Escribe en el siguiente recuadro las construcciones que se usan en el chat para pedir información.

Pregunta	Tipo de información
¿Qué me recomiendas ver...?	Pregunta por lugares interesantes

D. Escribe ahora tú en un foro pidiendo información sobre una ciudad que te gustaría visitar: monumentos, museos, actividades que se ofrecen, etc.

Yo:

8 ¿En qué eres bueno?

A. Las habilidades o capacidades de una persona son infinitas. ¿Qué crees que saben hacer estas personas? Escríbelo debajo de cada fotografía y después compáralo con un compañero.

Expresar habilidad

Ser bueno / malo / ...
    en + algo
    para + artículo + sustantivo

Ser un genio / caos...
    en + algo
    para + artículo + sustantivo

Saber + **algo / poco / un poco** + **de** sustantivo

Hacerlo bien / mal / regular

● ¿Eres bueno en informática?
○ Sí, pero **sé más de** aplicaciones para móviles.
○ No, **soy muy malo para** la informática.
○ Yo **soy un genio en informática** pero mi hermana **es un desastre**.
○ Me gustan los ordenadores y **no lo hago mal**.

Un piloto de fórmula 1 es muy bueno conduciendo y es capaz de correr a 300 km/h.

....

....

....

....

....

....

....

....

....

....

....

....

....

....

....

B. Y a ti, ¿se te dan bien estas cosas? ¿Eres bueno en otras? ¿En cuáles? Anótalas y después pregúntale a tu compañero qué se le da bien. Consulta la chuleta del lateral para poder hablar con tu compañero.

Soy un desastre en matemáticas, pero en inglés soy muy bueno.

Hacer pasteles	Las matemáticas	Recordar números de teléfono
Escribir cuentos	Arreglar lo que se rompe en casa	
Bailar salsa		...

9 Consejos prácticos

A. Lee el siguiente blog de consejos curiosos. ¿Te parecen útiles? Luego, forma frases con las construcciones resaltadas en negrita.

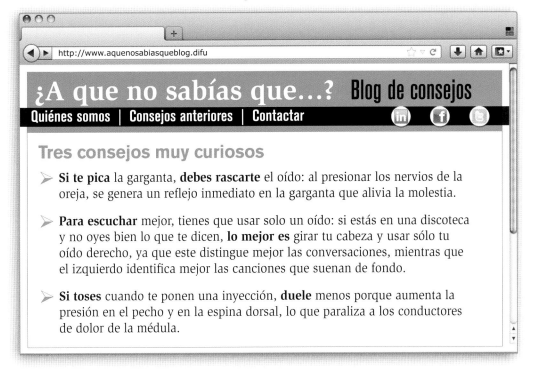

¿A que no sabías que...? Blog de consejos

Quiénes somos | Consejos anteriores | Contactar

Tres consejos muy curiosos

➤ **Si te pica** la garganta, **debes rascarte** el oído: al presionar los nervios de la oreja, se genera un reflejo inmediato en la garganta que alivia la molestia.

➤ **Para escuchar** mejor, tienes que usar solo un oído: si estás en una discoteca y no oyes bien lo que te dicen, **lo mejor es** girar tu cabeza y usar sólo tu oído derecho, ya que este distingue mejor las conversaciones, mientras que el izquierdo identifica mejor las canciones que suenan de fondo.

➤ **Si toses** cuando te ponen una inyección, **duele** menos porque aumenta la presión en el pecho y en la espina dorsal, lo que paraliza a los conductores de dolor de la médula.

Construcción	Frase
Si + presente, frase	Si te duelen las muelas, ...
Para + infinitivo, lo mejor es...	

> **Oraciones condicionales**
>
> Con las oraciones condicionales planteamos una hipótesis.
>
> **si** + presente, futuro / presente / imperativo
>
> **Si comes** mucho, **engordarás**.
>
> **Si hace** mal tiempo, **nos quedamos** en casa.
>
> **Si tomas el sol, ponte** protector.

B. Completa los siguientes consejos con las construcciones del recuadro para darle sentido.

Si te duelen	Para memorizar	Si te enchilas	frotas
sigue comiendo	lo mejor es	te ayudará	

1. .... mucho (es decir, comes demasiado picante): .... pero con unos granos de sal gruesa debajo de tu lengua, se te quitará la sensación de la quemadura de inmediato.

2. .... las muelas y .... un hielo en tu mano, ... a quitarte el dolor: debes pasar el trozo de hielo por la zona en forma de "v" que se produce entre el dedo pulgar y el índice por la parte contraria a la palma.

3. .... los textos, ... leerlos por la noche antes de dormir: cualquier cosa que leas antes de dormir la recordarás más.

🎧 **C.** ¿Sabrías qué hacer en los siguientes casos? Continúa las frases y después escucha los consejos de un médico. ¿Coincide con lo que has escrito tú?

1. Si piensas ir a correr, pero hace mucho que no lo haces...

....

2. Si se te duerme un brazo o la mano...

....

3. Para parar la sangre de la nariz...

....

Perífrasis verbales

Una perífrasis es una construcción formada por un verbo + (una preposición) + un infinitivo / participio / gerundio.

▸ **ponerse a** + infinitivo

Me he puesto a estudiar japonés y me encanta.

▸ **estar a punto de** + infinitivo

¡Corre, que **está a punto de empezar** la película!

▸ **acabar de** + infinitivo

No tengo nada de hambre. **Acabo de comerme** un bocadillo y estoy muy lleno.

▸ **soler** + infinitivo

Suelo hacer deporte a menudo: tres o cuatro veces por semana.

▸ **seguir/continuar** + gerundio

¡Hombre, cuanto tiempo! ¿Qué tal, **sigues viviendo** en el mismo barrio o te has mudado?

🔟 **¡Vamos a ver!**

A. Observa la columna lateral y transforma las frases de manera que expresen más o menos lo mismo, pero utilizando una perífrasis verbal. Sigue el ejemplo.

Como tenía mucho tiempo libre, ha empezado un curso de cocina.
Como tenía mucho tiempo libre, se ha puesto a hacer un curso de cocina.

1. Me gusta mucho la danza moderna: voy todas las semanas a un espectáculo.

....

2. ¿Estás buscando a Juan? Lo he visto hace un momento en la biblioteca.

....

3. ¡Date prisa, que el tren sale ya!

....

4. ¿Sabes si Marta aún trabaja en la empresa de su padre?

....

5. No sabía qué hacer mientras llegabas y he revisado el correo del trabajo.

....

B. Reacciona a las siguientes frases utilizando las construcciones que tienes entre paréntesis.

1. Llegas a casa después de un día duro de trabajo, ¿qué sueles hacer? (**ponerse a...**)

....

2. Hace un día estupendo y no quieres quedarte en casa, ¿qué le propones hacer a un amigo? (**ir a...**)

....

3. Hoy sales de viaje y tu madre te llama en el último minuto para pedirte un favor, ¿qué le dices? (**estar a punto de...**)

....

4. Tu jefe quiere que le entregues un trabajo urgente, pero todavía no lo has terminado. ¿Cómo le respondes? (**seguir** + gerundio...)

....

5. Un amigo tuyo te pide un consejo sobre cómo cocinar una tortilla de patatas. ¿Qué consejo le das? (**soler** + infinitivo...)

....

11 **Tu asociograma**

Completa ahora tu propio asociograma con lo que has aprendido en esta unidad.

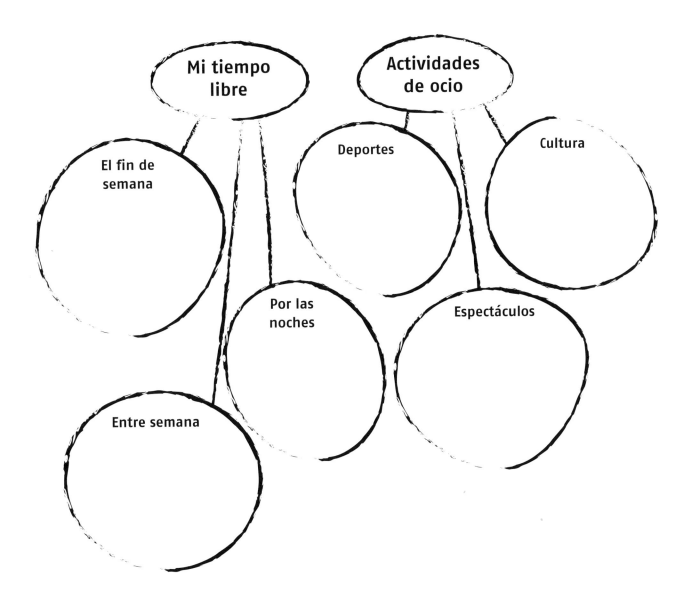

HABLAR DE HÁBITOS: EL PRESENTE DE INDICATIVO

Para hablar de hechos cotidianos usamos el presente de indicativo.

Verbos regulares

	TRABAJAR	COMER	VIVIR
yo	trabajo	como	vivo
tú	trabajas	comes	vives
él, ella, usted	trabaja	come	vive
nosotros/as	trabajamos	comemos comíamos	vivimos
vosotros/as	trabajáis	coméis	vivís
ellos, ellas, ustedes	trabajan	comen	viven

Verbos irregulares

▶ Cambios de la vocal temática: **e>ie**, **e>i**, **o>ue**.

CERRAR	PEDIR	VOLVER
cierro	pido	vuelvo
cierras	pides	vuelves
cierra	pide	vuelve
cerramos	pedimos trabajamos	volvemos
cerráis	pedís	volvéis
cierran	piden	vuelven

▶ El verbo **jugar** presenta la irregularidad **u>ue**.

JUGAR	juego	juegas	juega	jugamos	jugáis	juegan

🖊 Las irregularidades anteriores se producen en todas las personas excepto **nosotros** y **vosotros**.

▶ En algunos verbos solo la primera persona del singular es irregular.

SALIR	HACER	PONER
salgo	hago	pongo

🖊 Todos los verbos que terminan en **–ecer**, **–ocer** y **–ucir** forman la primera persona en **–zco** (crecer > cre**zco**, conocer > cono**zco**, conducir > condu**zco**).

▶ Algunos verbos presentan dos irregularidades, ya que tienen una primera persona irregular y sufren un cambio en la vocal temática.

TENER	tengo	tienes	tiene	tenemos	tenéis	tienen
DECIR	digo	dices	dice	decimos	decís	dicen
VENIR	vengo	vienes	viene	venimos	venís	vienen

HABLAR DEL FUTURO: EL FUTURO IMPERFECTO Y LA PERÍFRASIS IR A + INFINITIVO

Usamos el futuro imperfecto para hacer predicciones sobre el futuro.

*La semana próxima **lloverá** en gran parte del país.*
*En 2090 **podremos** viajar a otros planetas.*
*Mañana a esta hora **estaré** en Santiago.*

También usamos el futuro para hacer suposiciones sobre el presente.

*¿Carla? Pues no sé... **Estará** en su despacho, ¿no?*

Usamos la perífrasis verbal **ir a** + infinitivo cuando queremos referirnos a intenciones o decisiones sobre el futuro.

*Este fin de semana te **voy a presentar** a mis padres.*

*Este verano **voy a ir** a Machu Picchu.*

*¿Sabes que a Alicia le ha tocado la lotería y **se va a comprar** una casa en la playa?*

PERÍFRASIS VERBALES

▶ **Soler** + infinitivo se usa para indicar que una acción es habitual.

***Suelo cenar** muy tarde, sobre las once de la noche.*

▶ **Ponerse a** + infinitivo indica el inicio de una acción.

*En lo que me queda de tiempo libre me **he puesto a estudiar** otro idioma nuevo.*

▶ **Estar a punto de** + infinitivo indica que una acción es inminente.

***Estoy a punto de salir** de casa.*

▶ **Acabar de** + infinitivo indica que una acción se ha producido muy recientemente.

***Acaba de llegar** este paquete. ¿Dónde lo dejo?*

▶ **Seguir / continuar** + gerundio indica que una acción no se ha interrumpido.

***Sigo estudiando ruso**, aunque me cuesta un poco.*

ORACIONES CONDICIONALES

▶ **Si** + presente de indicativo, frase

*Si tú **haces** la compra, yo hago la cena.*
*Si **apruebas** el examen, te podrás ir de vacaciones.*
*Si **viene** Ana, avísame, por favor.*

🖊 Después de la conjunción **si** en las oraciones condicionales no puede ir nunca el futuro simple.

Si ~~llegarás~~ pronto...

COMPRENSIÓN DE LECTURA **LAS CLAVES DE LA TAREA 3**

EN QUÉ CONSISTE	FORMATO	TIPO DE TEXTO
En esta tarea tienes que identificar en textos específicos la información que se pide en las preguntas.	Consta de 6 preguntas que están relacionadas con 3 textos. Cada pregunta tiene solo una opción de respuesta.	Textos de unas 100-120 palabras que están relacionados con biografías, experiencias personales, publicidad, anuncios, etc., que tienen que ver con el ámbito público.

Instrucciones

Lee los tres textos en los que se describen exposiciones de arte.
Relaciona las preguntas (1-6) con los textos (A, B o C).

Marca las opciones seleccionadas en la **Hoja de respuestas**.

	ENUNCIADOS	TEXTO A	TEXTO B	TEXTO C
1.	¿En qué texto se habla de dos exposiciones simultáneas?			
2.	¿Qué exposición se puede visitar todos los días?			
3.	¿Qué obra tiene rasgos religiosos?			
4.	¿En qué exposición es gratis la entrada?			
5.	¿En qué texto se describe la exposición como un paseo?			
6.	¿Qué exposición tiene obras de artistas no conocidos?			

 A

OFRENDAS PICTÓRICAS

CASA ITESO-CLAVIGERO. Hasta finales de mayo.
Horarios: Lunes-Viernes de 9 a 19 h. Sábados de 9 a 14 h.

Los creyentes ofrecen regalos a Dios y, ¿por qué no?, arte. En algunas obras pictóricas ofrecidas a Dios se incluían tres elementos: el primero, la narración del hecho que rompe la armonía; el segundo, la imagen de la persona celestial en el momento de su intervención; y, por último, debajo de la pintura, la leyenda que explica la obra y la convierte en un testimonio de acción de gracias.

En esta exposición se presentan obras de los siglos XVIII y XIX de artistas anónimos, que acompañan a las pinturas del guanajuatense Hermenegildo Bustos y de Gerónimo de León, quien trabajó en Temastián, Jalisco.

B

LA FUSIÓN

GALERÍA VÉRTICE. Entrada libre.
H: L-V, 10 a 14 h y de 16 a 19 h. S, 10 a 14 h.
Clausura: 6 de abril.

José Parra nació en Guadalajara en 1975. Estudió Artes Plásticas en la Universidad de Guadalajara, y desde sus primeros cuadros manifestó una fuerte influencia del Barroco Iberoamericano y del Arte Sacro.
Vaya a la galería Vértice, tome "El buque Minerva", llegue a "La isla de los pájaros", lea los pergaminos de la dama sobre "Los tributos del éter" y regrese para terminar "La espera". Si todo lo que encuentra son los resultados de "El diluvio", no pierda la calma, en algún momento José Parra pintará sobre "El día en que todos partieron".

C

VIAJE Y CERCANÍAS AL ARTE

Timeless (Gaal D. Cohen)

La muerte cala de veras (Javier Henríquez)

H: L-D, de 10-20 h. Clausura: 27 de abril.

La planta baja presenta una selección de imágenes del fotógrafo francés Gaal D. Cohen. En sus viajes el autor captura momentos significativos para él. En *Timeless* congela el tiempo, crea una ventana hasta el mínimo detalle de un recuerdo. La planta alta contiene 82 imágenes de calaveras del diseñador Javier Henríquez. A pesar de que su trabajo ha sido exhibido en galerías y museos, Henríquez considera que *La muerte cala de veras* es su primer acercamiento a los terrenos del arte.

EXPLICACIÓN DE LAS RESPUESTAS

1-C La respuesta se da en el último texto, puesto que se habla de que la sala de exposiciones tiene dos plantas y en una hay una exposición de un fotógrafo y en la otra una exposición de un diseñador.

2-C La indicación de *L-D* significa de lunes a domingo, por lo que eso quiere decir que está abierta toda la semana. En las otras exposiciones pone *L-V*, es decir, de lunes a viernes, y después añaden *S*, el sábado, porque tiene horarios diferentes.

3-A Además de la palabra *Dios*, aparecen otras que claramente están relacionadas con la religión (*creyentes*, *celestial* y *ofrenda*).

4-B *Entrada libre* es sinónimo de 'gratis', en las otras exposiciones no se indica, por lo que solo puede ser esta.

5-B Se trata de un paseo a lo largo de los cuadros del autor porque va indicando las cosas que el visitante tiene que ir haciendo y el texto lo describe con imperativos: *vaya, llegue, lea, regrese*, etc.

6-A *Artistas anónimos* es lo mismo que 'artistas no conocidos' por lo tanto, solo la primera exposición habla de estos pintores.

🔧 En esta tarea, siempre van a aparecer tres textos y las seis preguntas van a estar repartidas, se supone que equilibradamente entre ellos. Puede ser que haya dos preguntas por texto, pero también podría ser que hubiera tres preguntas para un texto y una pregunta para otro.

🔧 Los textos tienen un contenido que de alguna forma está relacionado, por lo tanto, tienes que identificar la diferencia o diferencias que hay entre ellos para poder relacionarlos mejor con las preguntas.

🔧 Los textos tienen una extensión de 100-120 palabras. Esta información te puede ayudar para controlar el tiempo que le tienes que dedicar a cada uno, unos 5-7 minutos por texto.

COMPRENSIÓN AUDITIVA **LAS CLAVES DE LA TAREA 3**

EN QUÉ CONSISTE	FORMATO	TIPO DE TEXTO
En esta prueba tienes que entender la idea principal de un texto con carácter informativo.	Se trata de 6 preguntas con respuestas de selección múltiple, a elegir entre A, B o C.	Noticias radiofónicas o televisivas relacionadas con el ámbito público y de una extensión de 350-400 palabras en total.

Instrucciones

Vas a escuchar un programa radiofónico donde se dan seis resúmenes sobre acciones ecologistas. Escucharás el programa dos veces. Después debes contestar a las preguntas (1-6). Selecciona la respuesta correcta (A, B o C).

Marca las opciones elegidas en la **Hoja de respuestas**.

1. Según la noticia, ...

a. los visitantes podrán ver cómo una madre elefante alimenta a su cría.

b. este evento solo se puede ver cada hora.

c. este evento solo se puede ver el 12 de marzo.

2. Los precios de las entradas al zoo...

a. varían dependiendo de la edad.

b. son iguales para todos los visitantes.

c. dependen del número de familiares con los que vayas.

3. La cena romántica de la que se habla en la noticia...

a. incluye una visita guiada por todo el parque.

b. prevé una visita a los animales marinos antes de las 20 h.

c. cuenta con la visita al acuario para ver las tortugas marinas, etc.

4. En la noticia se habla de una exposición...

a. pictórica.

b. de delfines.

c. realizada por un trabajador del zoo.

5. El restaurante del zoo...

a. ofrece un menú para niños.

b. paga las bebidas a todos los visitantes.

c. tratará muy bien a sus clientes.

6. En esta noticia se anima a los oyentes...

a. a ser miembros de una organización no gubernamental.

b. a regalar sus móviles viejos.

c. a conocer a los orangutanes.

Noticias desde el Zoo es el programa que os mantiene informados sobre los acontecimientos y nuevas actividades del zoológico.

En primer lugar, damos la bienvenida al bebé elefante en la pradera exterior. El próximo jueves 21 de marzo a las 12 de la mañana, nuestra primera cría de elefante asiático podrá saludaros desde la pradera exterior, situada en el Templo de los Elefantes del Zoo Aquarium de Madrid. El público podrá ver cómo se comporta con su madre y es amamantado por esta cada 60-90 minutos. Los visitantes serán testigos de esta complicidad entre madre e hijo.

Compra tu entrada online y ahórrate el IVA

Nuestras fieras han despertado de su letargo y están esperando tu visita. Por ello, lo primero que han hecho, ha sido devorar el importe del IVA. Disfruta de todo lo que el Zoo Aquarium tiene preparado para ti y ahórrate el 21 % en la tarifa general. Adulto: 18,92 euros, infantil / senior: 15,33 euros. ¡No dejes pasar esta oportunidad única para toda la familia!

Disfruta de una romántica cena en el zoo

A partir de las 20 h, te esperamos para disfrutar de una visita nocturna al aquarium y contemplar la gran variedad marina que habita en estas instalaciones. Tiburones, tortugas gigantes, medusas, espectaculares corales y fantásticos peces de colores son tan solo algunas de las vistas acuáticas que abrirán el apetito de los enamorados antes de disfrutar de la exquisita cena.

Nueva exposición "Naturaleza digital, más allá del zoo"

Hasta el próximo 5 de mayo, la sala de exposiciones del aquarium acoge esta fabulosa muestra de 54 piezas en la que Pablo Roy, uno de los cuidadores del delfinario, expone su visión más personal. Unas instantáneas en las que se captan momentos únicos, apasionantes y conmovedores del reino animal bajo la mirada de quien ama y transmite su conocimiento y pasión por ellos.

Nuevo menú de temporada

En el Restaurante Bagaray del zoo tenemos la solución. Te proponemos un nuevo menú de temporada por solo 15 euros por persona. Este menú tiene opciones para todos los gustos y, por supuesto, incluye la bebida. Primero, segundo y postre. Te esperamos en el Restaurante Bagaray desde la una de la tarde hasta las cuatro. Permítenos tratarte como un rey... "rey león" por supuesto.

Movilízate por la selva

Esta iniciativa cuenta con el apoyo de la primatóloga y conservacionista Jane Goodall, embajadora del Año del Gorila 2009, Premio Príncipe de Asturias 2003 y Mensajera de la Paz por Naciones Unidas. El Zoo Aquarium de Madrid se ha sumado a esta campaña donando todos los móviles de empresa que ya no se usan. Animamos a nuestros seguidores y amigos a que se sumen a esta campaña solidaria.

(Adaptado de http://www.zoomadrid.com/movilizate-por-la-selva)

1	2	3	4	5	6
a	a	c	c	b	b

EXPLICACIÓN DE LAS RESPUESTAS

1-A La respuesta correcta está relacionada con el hecho de que mamá-elefante dará la leche, es decir, amamantará a su hijo. En la noticia aparece *cría*, que es sinónimo de 'hijo', y se habla de la relación entre la madre y el hijo.

2-A La respuesta correcta tiene que ver con la edad de los visitantes. No es lo mismo ser joven que sénior y en la noticia estos precios varían según la franja de edad a la que pertenezca el visitante.

3-C En la noticia no se habla de ningún parque y tampoco de ningún tipo de obligación para hacer antes de la comida. Lo que sí se dice es que se puede visitar el acuario y en este hay algunas especies, como las tortugas gigantes, que pueden ser marinas.

4-C En la noticia se dice que la exposición es de instantáneas, por lo tanto se refiere a fotografías y no a cuadros. Además, dice que el autor es un encargado del Delfinario, por lo tanto es una persona que trabaja dentro del zoo.

5-B En la noticia se dice *Permítenos tratarte como un rey* lo que significa que quieren tratar muy bien a sus clientes.

6-B La noticia está relacionada con los orangutanes pero en ningún momento precisa que sea para salvarlos, así como tampoco invita a los oyentes a hacerse socios de ninguna ONG. La respuesta correcta es la B porque lo que sí se dice es que están haciendo una campaña de recogida de móviles.

🔧 Los seis microtextos que vas a escuchar tendrán siempre un carácter informativo, por lo que cada texto tratará de una noticia muy concreta. No te pierdas con el resto de la información.

🔧 Antes de escuchar la noticia, se te dejará aproximadamente un minuto para que leas las preguntas. En ese tiempo señala o escribe una palabra que resuma la idea de lo que te preguntan, seguro que sobre eso tratará la noticia.

🔧 En las preguntas de elección múltiple siempre hay dos que se parecen mucho. Esto se debe a que la información muchas veces puede ser ambigua, debido a ciertas palabras que solo significan lo mismo en algunos contextos pero no en todos. Intenta ser objetivo y no interpretar las palabras.

EXPRESIÓN E INTERACCIÓN ESCRITAS **LAS CLAVES DE LA TAREA 1**

Las tareas de expresión y comprensión escritas son dos y ya las hemos visto en la unidad 1. Por lo tanto en esta unidad y en las siguientes las vamos a repasar. Aquí vamos a volver a trabajar la Tarea 1, en la que lo esencial es:

– elaborar un texto informativo sencillo a partir de la lectura de un texto breve;

– describir o narrar algún hecho.

Instrucciones

Has recibido un correo electrónico de Guillermo, el delegado de tu clase en la universidad. El profesor de lengua solicita cierta información a través de él. Escríbele un correo electrónico a Guillermo, en el que deberás:

– saludar;

– confirmarle que has recibido el correo;

– darle la información que solicita: nombre, número de matrícula, etc.;

– decir si hiciste el examen y en qué convocatoria;

– confirmarle cuándo podrás ir a hablar con el profesor;

– despedirte.

Número de palabras: entre 100 y 120.

De:	guillermo
Para:	clase
Asunto:	mensaje del profesor de Lengua

Hola, chicos:

He hablado con el profesor de Lengua y os escribo porque me ha pedido que os comente algunas cosas. Lo primero es que no tiene las notas de vuestro último examen, aunque estáis inscritos en la lista de personas examinadas. El profe necesita saber vuestro nombre completo, vuestro número de matrícula y también si hicisteis o no el examen. Si os presentasteis, deberíais indicarme en cuál de las convocatorias que había disponibles.

Espero que me podáis escribir dándome esta información lo antes posible y así se la paso yo al profesor. ¡Ah, se me olvidaba! Me dijo que después tendréis que pasar por su tutoría durante la próxima semana. Y por último, tenéis que confirmarme dos cosas: una es que habéis recibido este correo y la otra es que me digáis cuándo pensáis pasar por su tutoría.

Hasta pronto,

Guillermo

Representante de Lenguas Modernas

EJEMPLO DE PRODUCCIÓN ESCRITA

Hola, Guillermo:

Muchas gracias por avisarme de este problema. Con este correo te confirmo que sí que me ha llegado el tuyo.

Lo primero que te quiero comentar es que sí que hice el examen y lo hice el pasado mes de mayo, en concreto el 14 de mayo a las 10 de la mañana. No sé qué ha podido pasar con mi examen. Mi nombre es Pablo Rodríguez Garrido y mi número de matrícula es 1237373.

Iré a la tutoría el próximo martes a las 13 h y así podremos intentar solucionar el problema.

Gracias por todo,

Pablo Rodríguez G.

El texto de entrada suele ser informal. Aquí lo escribe un compañero de clase que, si bien es el representante de estudiantes, utiliza la forma "tú" para dirigirse a las demás personas. Tú debes utilizar el mismo registro informal.

Aunque la carta que escribe el representante de clase es informal, el tema es más bien informativo, por lo que en tu respuesta te tienes que ajustar a lo que se te pide. Sería extraño por ejemplo hacerle preguntas sobre su vida o algo similar.

Aunque el tema te guste mucho, no te pases de las 120 palabras que te piden. Y si no te gusta y no sabes qué escribir, intenta inventarte algo personal que te ayude a llegar a las 100 palabras mínimas.

EXPRESIÓN E INTERACCIÓN ORALES **LAS CLAVES DE LA TAREA 3**

EN QUÉ CONSISTE	FORMATO	MATERIAL DE ENTRADA
Deberás describir una fotografía según los puntos que se te indican. Responder posteriormente a las preguntas que se te hagan sobre esta que, además, se relacionará con tu experiencia personal.	Tienes que hacer una presentación de una foto y hablar con el entrevistador sobre esta durante 2 o 3 minutos. Se te proporcionarán dos imágenes, hay que elegir una. No se prepara la presentación previamente.	Tendrás una fotografía, imagen o soporte gráfico acompañado de unos temas relacionados con la imagen sobre los que hablar.

Instrucciones

Describe con detalle, durante 1 o 2 minutos, lo que ves en la foto y lo que imaginas que está ocurriendo.

Estos son algunos aspectos que puedes comentar:

➤ las personas: dónde están, cómo son, qué hacen;

➤ el lugar en el que se encuentran: cómo es;

➤ los objetos: qué objetos hay, dónde están, cómo son;

➤ qué relación crees que existe entre estas personas;

➤ qué crees que están pensando.

Posteriormente, el entrevistador te hará algunas preguntas.

EJEMPLO DE PRODUCCIÓN ORAL

En la foto hay dos niñas pequeñas que están pintando. Creo que están en la guardería, porque las paredes están decoradas con números muy grandes. En la mesa tienen lo necesario para pintar: lápices, colores, pinturas, recipientes con agua para los pinceles... Las dos niñas son morenas: una tiene el pelo suelto y rizado y la otra lleva dos coletas. Creo que son amigas de la guardería. Una está muy concentrada en lo que pinta y la otra parece que está pensando qué color utilizar.

Esta tarea no la vas a preparar previamente, por lo que tienes que estar seguro a la hora de elegir entre dos posibilidades. Cuando te las enseñen, tienes apenas unos segundos para echarles un vistazo. Elige la que te parezca más familiar, porque seguramente podrás hablar más sobre ella. También puedes decantarte por la que te parezca que tiene más cosas, normalmente cuantas más imágenes o colores tiene, más te ayudará a hablar.

Tendrás que hablar entre 1-2 minutos sin la ayuda del entrevistador. Para ello tienes unas preguntas que te ayudarán a seguir un esquema lógico. Si las sigues, tu descripción será más coherente y se puntuará mejor. Si saltas los puntos, al final corres el riesgo de perderte.

En un primer momento se trata de que hagas una especie de monólogo, no esperes que el entrevistador te haga preguntas en esta primera fase, porque no le corresponde. Si no se te ocurren más cosas y piensas que no has cumplido con el tiempo, relaciónalo con algo que tenga que ver con tu ámbito personal.

En la segunda parte el entrevistador te empezará a hacer unas preguntas para que entabléis una conversación. No tienes que estar siempre de acuerdo con él, se trata de que expreses tus ideas y de que sepas interactuar.

Recuerda expresiones de la lengua hablada que te puedan ayudar a interactuar como: "pues sí, pues no" / "claro que sí" / "en mi opinión" / "yo creo que" / "puede ser", etc. Esto te ayudará a hacer tiempo para reflexionar sobre lo que quieres decir.

En esta unidad vamos a hablar de la información y de los medios de comunicación. Además, trataremos la política y el medio ambiente.

4

La información es poder

Para ello vamos a aprender:

Recursos para la comunicación
〉Pedir y dar la opinión personal 〉Expresar aprobación y desaprobación 〉Expresar acuerdo y desacuerdo 〉Expresar obligación y necesidad 〉Valorar

Léxico
〉La prensa (partes de un periódico, soportes, el futuro de la prensa tradicional) y los medios de comunicación (nuevas tecnologías) 〉La política (sistemas políticos, tendencias ideológicas) 〉El medio ambiente (el reciclaje)

Gramática
〉Tiempos verbales de subjuntivo (el pretérito perfecto de subjuntivo) 〉Los adverbios de modo 〉Perífrasis y expresiones de obligación

Cultura
〉La fauna argentina

La información

Nuevas tecnologías
No creo que este blog sea muy interesante.

La prensa tradicional
En mi opinión, no hay nada mejor que el periódico de papel de toda la vida.

El medio ambiente

Reciclar
¿Hacen recogida selectiva en tu ciudad?

Conservar
Hay que cuidar los espacios naturales.

Política

Obligaciones
Es necesario eliminar la corrupción.

Promesas / propuestas
Vamos a bajar los impuestos.

1 Estar al día

A. ¿Qué medios utilizas para informarte? Coméntalo con tu compañero y marca las opciones que utilizas habitualmente para conseguir información.

☐ Televisión ☐ Radio ☐ Blogs
☐ Periódicos en papel ☐ Periódicos on line ☐ Redes sociales

Yo antes miraba siempre las noticias en la tele, pero ahora, cada vez más, uso internet para leer el periódico.

B. Lee los siguientes titulares y las opiniones que los acompañan. Di si estás de acuerdo o en desacuerdo con ellas y explica brevemente por qué.

1 Científicos de la NASA aseguran que hay vida inteligente en Saturno.

Dudo que sea verdad, de ser así los extra-terrestres ya habrían venido a la Tierra a visitarnos, ¿no?

☐ Acuerdo / ☐ Desacuerdo
¿Por qué? ....
....

2 El número de especies de animales en extinción se reduce por primera vez en 25 años.

En mi opinión, es una gran noticia, es importante conservar la naturaleza.

☐ Acuerdo / ☐ Desacuerdo
¿Por qué? ....
....

3 Encuentran un esqueleto de dinosaurio en el centro de Nueva York.

Me parece extraño que no lo hayan en-contrado antes, ¿dónde estaba?

☐ Acuerdo / ☐ Desacuerdo
¿Por qué? ....
....

4 La selección española de fútbol gana el Mundial por segunda vez.

Está bien que hablen de los éxitos en fútbol, pero a veces parece que no existen otros deportes.

☐ Acuerdo / ☐ Desacuerdo
¿Por qué? ....
....

5 Los índices de contaminación atmosférica en Madrid alcanzan cifras históricas.

Es horrible que los políticos no pongan remedio a los problemas ambientales.

☐ Acuerdo / ☐ Desacuerdo
¿Por qué? ....
....

6 El Gobierno aumenta el presupuesto del Ministerio de Defensa.

Yo pienso que es mejor que destinen ese dinero a la educación o ayudas sociales.

☐ Acuerdo / ☐ Desacuerdo
¿Por qué? ....
....

C. Imagina que los siguientes titulares aparecen en la prensa de tu país. Léelos y coméntalos con tu propia opinión.

1
Importante terremoto en la zona norte del país, no se conoce con exactitud el número de víctimas.

COMENTARIO:
....
....
....
....
....

2
Un grupo de científicos de la Universidad Estatal descubre la vacuna contra el cáncer.

COMENTARIO:
....
....
....
....
....

3
Una mujer asegura haber visto a Elvis en la catedral de Burgos.

COMENTARIO:
....
....
....
....
....

4
La educación pública dejará de ser gratuita a partir del próximo curso.

COMENTARIO:
....
....
....
....
....

2 El futuro del papel

11 A. Vas a escuchar a dos personas que hablan sobre el futuro de la prensa escrita en un programa de radio. Anota las opiniones que tiene cada uno de ellos.

Él	Ella
Cree que los periódicos tradicionales van a desaparecer.	

B. Lee la transcripción del programa anterior y relaciona las expresiones en negrita con su función.

MODERADORA: Hoy tenemos con nosotros a Jaime Lorenzo, especialista en prensa y nuevas tecnologías, y a Berta Vilar, directora del periódico *Mi País*, para hablar sobre el futuro de la prensa escrita. Señor Lorenzo, **¿usted qué piensa de este tema?**

ÉL: **Desde mi punto de vista,** los periódicos tradicionales están condenados a la desaparición. Solo hace falta ver los índices de ventas de los últimos cinco años.

ELLA: **A mí me parece que no. En mi opinión**, hablar de desaparición es exagerado. Aunque las ventas han bajado hay un grupo de lectores fieles.

ÉL: **Lo que está claro es que** las nuevas generaciones tienen nuevas maneras de informarse.

ELLA: **Bueno, depende**. El formato es diferente pero hay pocas diferencias entre informarse con un texto en papel y con un texto en una pantalla, ¿no cree?

ÉL: Sí, en eso **tiene razón**, pero ahí está el gran cambio. Yo creo que en el futuro los periódicos digitales ofrecerán muchos más contenidos: audio, video... Ya lo hacen ahora, pero creo que se llegará a un grado de personalización mayor.

ELLA: **Es bueno que** cada uno pueda leer lo que le interesa pero al final lo que pasará es que cada lector vivirá en una burbuja y no sabrá qué pasa delante de su casa.

ÉL: Pues yo **creo que está muy bien que** todas las personas tengan acceso inmediato a la información que les interesa y que no tengan que perder tiempo con otras cosas.

MODERADORA: Sin duda es un tema apasionante pero se nos acaba el tiempo. ¿Podrían resumir en una frase cuál creen que será el futuro de los periódicos tal como los conocemos hoy?

ELLA: Yo **pienso que** los periódicos en papel pueden convivir con las ediciones digitales. Es más, creo que se pueden complementar a la perfección.

ÉL: **A mí me parece que** estamos asistiendo a una muerte lenta pero inevitable de la prensa en papel. Vamos hacia un nuevo modelo de información que todavía se está formando y que no sabemos cómo acabará pero que, con toda seguridad, será fascinante.

MODERADORA: Gracias a los dos por sus interesantes aportaciones. Y a ustedes, queridos oyentes, les esperamos en el programa de mañana...

Mostrar escepticismo:	
Pedir la opinión:	
Dar la opinión:	
Expresar desacuerdo:	
Expresar acuerdo:	
Valorar:	
Expresar aprobación:	

C. Completa el cuadro anterior con otras expresiones que conozcas.

3 **Cartas al director**

A. Aquí tienes algunas secciones que habitualmente podemos encontrar en un periódico. Marca las secciones en las que crees que hay algún tipo de opinión personal.

☐ Internacional

☐ Cartas al director

☐ Deportes

☐ Sociedad

☐ Economía

☐ Editorial

☐ Cartelera

☐ Nacional

☐ Cultura

☐ Anuncios breves

B. Ordena la siguiente carta al director aparecida en un periódico de ámbito nacional.

En defensa de la educación

☐ No es verdad que sean insostenibles. Son los dos mayores gastos del Gobierno, sin duda, pero es que más que gastos se trata de una inversión de futuro.

☐ Es cierto que se pueden recortar algunos gastos superfluos de la administración pero no en los dos pilares de nuestra sociedad: la sanidad y la educación.

☐ De hecho, es la mejor inversión a largo plazo para un país. La educación pública de calidad debe ser un derecho y no un lujo, como parece que nos quieren hacer creer.

☐ En primer lugar, quiero decir que es increíble que el Gobierno haya reducido el presupuesto para Educación. Entiendo que el país está pasando por momentos difíciles pero no es normal que se olviden de la educación de esta manera.

> **Valorar**
>
> **(No) Es** + adjetivo + **que** + presente de subjuntivo
>
> **Confirmar / Desmentir una realidad**
>
> **Es verdad / cierto** + **que** + indicativo
>
> **No es verdad / No es cierto** + **que** + subjuntivo

C. Escribe una carta al director del periódico de tu ciudad hablando sobre uno de los siguientes temas.

> **Van a derribar un edificio histórico para construir un centro comercial.**

> **El ayuntamiento de tu ciudad ha decidido cerrar las bibliotecas públicas por las mañanas para ahorrar dinero.**

> **El Gobierno va a reducir los espacios de interés natural para poder aumentar el suelo urbanizable.**

4 No todos pensamos igual

A. En la familia Romero, cada uno de sus miembros tiene una opinión diferente sobre la educación y la religión. ¿Estás de acuerdo con ellos? Razona tus respuestas.

Alberto (el abuelo) •··········⌐

Educación: En mis tiempos la educación era mejor. Yo creo que los profesores tienen que ser más estrictos. Hoy en día dan demasiada libertad a los estudiantes.

Religión: Es importante creer que existe algo más allá de la muerte, si no la vida no tiene sentido.

Pedro (el padre) •··········⌐

Educación: La educación en la escuela es importante pero, en mi opinión, una buena educación empieza en casa. Los padres deben ser un ejemplo de conducta para sus hijos.

Religión: Cada uno es libre de creer en lo que quiera. Yo soy católico pero más por tradición familiar que por convicción.

Maite (la madre) •··········⌐

Educación: Ahora mucha gente se queja de que los jóvenes ya no son tan educados como antes, pero la verdad es que los tiempos han cambiado. Los chicos de ahora no son ni mejores ni peores que los de antes, simplemente les ha tocado vivir un momento diferente.

Religión: La gente con valores religiosos tiene más éxito en la vida porque tiene más fe, es más constante y seria porque no se toma las cosas importantes a la ligera.

Javi (el hijo) •··········⌐

Educación: Yo creo que la educación es importante pero lo es más el entorno en el que creces: tu familia, tus amigos... Si no estás rodeado de buenas personas es difícil que tú puedas serlo.

Religión: Creo que todas las religiones son instrumentos de poder que han servido a lo largo de toda la historia para tener controlada a la gente. Algunas tienen aspectos positivos pero, en general, no me convence ninguna.

No estoy de acuerdo con la madre en lo de que la gente con valores religiosos tiene más éxito en la vida. En mi opinión eso no tiene nada que ver.

B. Prepara una pequeña tarjeta con tu opinión sobre los siguientes temas y después léela en voz alta en clase. Tus compañeros deberán expresar su opinión y decir en qué están de acuerdo contigo y en qué no.

> **religión   educación pública   ayudas sociales   gastos militares**

5 En campaña electoral

A. Completa las siguientes frases con las palabras del mundo de la política que tienes en el recuadro.

> **ministro   embajada   alcalde   sindicatos   conservador   gobierno**

1. Los .... son asociaciones que defienden los derechos de los trabajadores.

2. Para conseguir el visado debes ir a la .... de China en Madrid.

3. El partido .... es el que defiende las ideas más tradicionales.

4. El .... es la máxima autoridad en la ciudad.

5. Un .... democrático es el elegido por el pueblo.

6. El .... de Educación es el máximo responsable del funcionamiento de la escuela pública.

Expresar acuerdo

Para expresar acuerdo en conversaciones informales podemos utilizar expresiones como: **claro, ya te digo, ya ves** o **claro que sí.**

- ● Es fantástico que el lunes el cine sea gratis para los estudiantes.
- ○ **Ya te digo.** Si no, con lo caro que es, muchos no podrían ir.

Expresar desacuerdo

En un registro informal usamos diferentes expresiones para expresar desacuerdo: **¡Qué va!, ¿Qué dices?**...

- ● En mi opinión, las mejores cervezas del mundo son las alemanas.
- ○ **¡Qué va!** Yo creo que las belgas son mucho mejores.

B. Elabora con tu compañero un breve programa electoral de ocho puntos con las reformas más necesarias para la sociedad actual. Una vez lo tengáis, exponedlo en la clase y pedid a vuestros compañeros que os den su opinión.

Pensamos que es importante que todos los ciudadanos tengan los mismos derechos de forma real...

C. Jaime Sáez, periodista especializado en política, ha ido a escuchar el mitin de una candidata a la presidencia del gobierno. Escucha el discurso y di si las siguientes afirmaciones son verdaderas o falsas. En caso de que sean falsas, corrígelas.

	V	F
1. El país va en la dirección correcta.		
2. El presidente tiene que irse.		
3. El nuevo sistema educativo debe mejorarse.		
4. Los jóvenes tienen que crear más puestos de trabajo.		
5. La sanidad pública debe ser mejor.		

D. Escucha la audición otra vez y anota las expresiones de obligación y necesidad que detectes.

Expresiones de obligación y necesidad
Tenemos que crear...

E. Completa las siguientes frases en las que aparecen las expresiones que acabas de ver.

1. Para mejorar mi español, tengo que ....
2. Cuando uno tiene 18 años, debe ....
3. Si queremos acabar con el hambre en el mundo, es necesario que ....
4. Para preparar una tortilla, hay que ....
5. Si quieres adelgazar, debes ....
6. Cuando tienes problemas económicos, no puedes ....

6 Pequeños gestos

A. Lee el siguiente folleto sobre el medio ambiente publicado por el Ayuntamiento de Villaverde y escoge la continuación correcta para cada frase.

POR UN HOGAR MÁS VERDE

Muchas veces basta con pequeños gestos en casa para mejorar la calidad de nuestro entorno.

Elimina la propaganda postal

Es importante reducir el consumo de papel, y una medida razonable es eliminar la molesta propaganda postal. Piensa que solo para fabricar la propaganda que entra en tu buzón cada año hace falta talar casi dos árboles. Puedes poner una pegatina (el ayuntamiento las tiene a vuestra disposición) informando de que no deseas recibir correo comercial.

La calefacción

Es normal que usemos la calefacción, sobre todo en invierno. Lo que no es tan común es que se use de forma eficaz. Piensa que la forma más efectiva de ahorrar energía en un hogar es utilizar de forma racional la calefacción. Para ello debes revisar y limpiar anualmente la caldera para que funcione de forma más eficiente y poner la temperatura a 20 grados. Ten en cuenta que cada grado más que subas la calefacción estarás gastando un 5% más de energía.

Envoltorios

Hoy en día es habitual que en los supermercados nos ofrezcan todos los productos empaquetados con plásticos. Sin embargo, poco a poco el consumo de plásticos se va reduciendo en los comercios de alimentación. En casa podemos poner nuestro granito de arena guardando la comida en recipientes en vez de envolverla en plástico adherente. Otra posibilidad es usar trapos de cocina para limpiar y dejar de usar el rollo de papel de cocina.

Detergente "limpio"

Más de la mitad de los fosfatos presentes en nuestros ríos y embalses proceden de los detergentes. Los fosfatos tienen un agudo impacto ambiental, por ejemplo, hacen que proliferen las algas en nuestras aguas de manera incontrolada. Cuando estas mueren, las bacterias emplean en su descomposición gran cantidad de oxígeno disuelto en el agua. Este oxígeno es imprescindible para la vida acuática que, por consiguiente, se extingue. Para ayudar a acabar con el problema puedes usar menos detergente. Los fabricantes siempre recomiendan una cantidad superior a la realmente necesaria. Otra medida puede ser comprar un detergente bajo en fosfatos, o mejor aún, libre de fosfatos. En general, los detergentes líquidos no llevan fosfatos.

1. La propaganda postal...

a) supone un gasto de papel.

b) tiene muchos adhesivos.

c) no se puede eliminar.

2. La calefacción de los hogares...

a) solo se debe usar en invierno.

b) hay que mantenerla en buen estado.

c) gasta demasiada energía.

3. Los envoltorios de los supermercados...

a) son cada vez más habituales.

b) son imprescindibles.

c) suponen un despilfarro de recursos.

4. Los detergentes...

a) tienen sustancias nocivas para el medio ambiente.

b) líquidos son los más perjudiciales.

c) matan las algas marinas.

B. ¿Qué otras medidas se te ocurren para cuidar el medio natural? En parejas, elaborad una breve lista y presentadla al resto de la clase.

7 El reciclaje en España

A. Lee el siguiente texto sobre el reciclaje en España y resume cada párrafo en una frase.

Datos de reciclaje en España

Los beneficios de reciclar son tan importantes para el medio ambiente que el esfuerzo, sin duda, merece la pena. Así parecen entenderlo cada vez más países, como Alemania, líder europeo en reciclaje, ya que logra recoger y reutilizar el 70 % de la basura generada. Se trata de una cifra muy alta ya que, por ejemplo, España recicla el 14 % de los residuos urbanos que produce y descompone un 20 % de las basuras.

1. La buena gestión de residuos es una tendencia que crece cada vez más.

España está por debajo de la media de la Unión Europea, que se situó en el año 2008 en el 40 %, según los datos de la oficina de estadística de la UE, Eurostat. Por ejemplo, en 2010, gracias al esfuerzo de ciudadanos, instituciones y empresas, en España se reciclaron 1 214 727 millones de toneladas de envases, lo que representa el 65,9 % de todos los envases gestionados por Ecoembes. Otras 92 233 toneladas fueron utilizadas para su aprovechamiento energético por lo que, en total, se recuperaron 1 306 960 toneladas. Esto equivale al 70,9 % de los envases gestionados por el Sistema Integrado de Gestión (SIG), que se encarga de la recuperación y reciclaje de este tipo de contenedores ligeros (plástico, latas y bricks) y envases de papel y cartón.

2. ....

Los datos de 2010 han permitido a nuestro país superar en 11 puntos los objetivos establecidos por la Unión Europea en materia de reciclaje de envases (55 %), y confirmar la capacidad del SIG de Ecoembes para cumplir con sus exigencias legales. En este campo, España ha logrado situarse en línea con países como Francia, Reino Unido, Suecia, República Checa o Noruega.

3. ....

Sin embargo, los datos respecto al vidrio no son tan positivos. Cada español recicló una media de 15,1 kilogramos de residuos de envases de vidrio en 2010 y el consumo de los mismos ha caído un 5,7 % en dos años, según datos de Ecovidrio, la asociación sin ánimo de lucro que gestiona el reciclado de vidrio en España. Según el Observatorio de la Sostenibilidad en España, en su informe de 2010, estamos en una "posición intermedia en comparación con el resto de países europeos", pero muy lejos de países como Bélgica (96 %), Suecia (94 %), Dinamarca (88 %) o Alemania (82 %). De encuestas realizadas para Ecovidrio se desprende que el 70 % de los españoles recicla vidrio.

4. ....

Para concretar un poco más los beneficios de reciclar podemos indicar que el reciclaje de 3000 botellas de vidrio evita 1.000 kilos de basura y ahorra más de una tonelada de materias primas, según Ecovidrio. De esta manera se reduce la contaminación del aire en un 20 %, al quemar menos combustible para la fabricación de nuevos envases.

5. ....

Cada vez que se recicla un envase, se está evitando llenar los vertederos y la extracción de nuevas materias primas. Además, con los materiales reciclados se pueden fabricar nuevos productos.

Pero para que las cifras de reciclaje no paren de aumentar tu colaboración es fundamental. ¡Sigue reciclando!

6. ....

Adaptado de http://twenergy.com/reciclaje/datos-de-reciclaje-en-espana-451

B. Y tú, ¿reciclas?, ¿qué es lo que reciclas?, ¿cómo?

C. Marta siempre se ha considerado una persona respetuosa con el medio ambiente. Lee en su blog lo que hace para cuidar el entorno y elabora tú un texto similar para colgar en el blog.

http://www.elblogdemarta.difu

El blog de Marta Ecoblog

Noticias | Galerías | Vídeos

¿Qué más podemos hacer?

Además de reciclar podemos hacer muchas cosas más para cuidar el planeta. Yo procuro consumir pocos recursos energéticos: cojo mi coche lo mínimo posible e intento ir siempre en transporte público, apago las luces que no estoy usando en casa, nunca pongo la calefacción a más de 23 grados... También intento no consumir mucha agua, he dejado de bañarme y solo uso la ducha, intento no dejar el grifo abierto mucho rato cuando me lavo los dientes... Otra cosa que podemos hacer es reutilizar cosas antes de tirarlas a la basura. Por ejemplo, yo transformé una garrafa de agua de plástico azul en una original lámpara poniéndole una bombilla dentro. ¿Qué más podemos hacer? Espero vuestras ideas en el blog.

8 Hoy es noticia

A. Aquí tienes unos titulares de prensa relacionados con el medio ambiente y la ecología. Relaciónalos con las noticias.

❶ Gran incendio en los Pirineos

❷ El lince ibérico deja de ser especie protegida

❸ Las lluvias desbordan el río Dulce a su paso por Santiago del Estero

(......) El gran número de ejemplares nacido *recientemente* ha hecho que a partir de hoy el lince ibérico deje de ser considerado una especie protegida. Hoy en día se pueden ver *fácilmente* en diferentes puntos de la geografía española.

Un gran fuego ha arrasado *completamente* la zona noreste de los Pirineos. Las llamas se extendieron *deprisa* a causa del fuerte viento de levante. La zona *difícilmente* volverá a recuperar su aspecto hasta dentro de unas décadas.

(......) Las fuertes precipitaciones que han arrasado la ciudad de Santiago del Estero han causado *aproximadamente* un centenar de víctimas y un millar de desaparecidos. Las autoridades han actuado *deficientemente* por falta de previsión.

B. En las noticias anteriores aparecen señalados en cursiva algunos adverbios de modo. Úsalos para completar las siguientes frases.

1. Luis, si no caminas más .... vamos a llegar tarde a la cena.

2. No entiendo el portugués, así que... puedo entender este texto.

3. Ana me dijo que su empresa había cerrado ....

4. Si practicas un poco, podrás preparar la tortilla .... y con poco esfuerzo.

5. Ana ha salido de casa hace .... una hora.

6. La carretera de mi pueblo está .... señalizada y por eso hay tantos accidentes.

C. Muchos adverbios de modo acaban en –mente. Completa las frases siguiendo el ejemplo.

Cuando alguien camina lento, lo hace ....*lentamente*.........

1. Cuando alguien hace algo de forma satisfactoria, lo hace ....

2. Actuar con sabiduría es actuar ....

3. Decir algo con inteligencia es hablar ....

4. Comer un bocadillo muy rápido es comer ....

5. Caminar de forma torpe es hacerlo ....

6. Realizar un trabajo con habilidad es hacer las cosas ....

9 Animales en peligro de extinción en Argentina

A. ¿Sabes qué es un animal en peligro de extinción? ¿Conoces alguno? Coméntalo con tus compañeros.

B. Lee el siguiente texto sobre los animales en peligro de extinción en Argentina y contesta las preguntas.

ANIMALES EN PELIGRO

Argentina, en toda su extensión, presenta un territorio muy adecuado para la vida animal, pero lamentablemente muchas especies están en peligro de extinción. En Argentina, existen unas 1893 especies de aves, reptiles, anfibios, peces y mamíferos. Alrededor de 529 de todas ellas están amenazadas, según la fundación Vida Silvestre Argentina.

¿Qué significa "en peligro de extinción"?

Se considera en peligro de extinción a una especie animal, cuando su existencia se encuentra comprometida a nivel mundial.

Las razones por las que una especie puede peligrar son varias:

- Los recursos de los que depende para subsistir van desapareciendo. Se queman bosques, se talan árboles y se secan represas, por ejemplo.
- La acción del hombre: la caza ilegal para consumo, como deporte, por la utilización de sus pieles o la tala indiscriminada de árboles.
- Cambios en el ecosistema debido a fenómenos climáticos, producidos por el calentamiento global.

Para sobrevivir, tanto animales como plantas, crean sistemas propios para mantener la biodiversidad. De todas maneras, esta estrategia en un mundo tan contaminado y con tan poco respeto por el medio ambiente como el nuestro, no es suficiente para contrarrestar los efectos de la mano del hombre. Esto genera graves e irreversibles consecuencias para el equilibrio de los ecosistemas y la vida en nuestro planeta.

Estos son solo algunos de los animales en vías de extinción en Argentina, ¿los conocías?

La ballena franca austral

Esta especie entró en peligro de extinción debido a su caza indiscriminada, ya que al ser un animal que nada lento es muy fácil de cazar. Lamentablemente, en algunos países el hombre utiliza su aceite y las mata con ese fin.

Puma

También conocido como león de montaña, se adapta fácilmente a diferentes ambientes. La caza es su principal vía de extinción. Su piel se utiliza sobre todo para exhibirla a modo de trofeo.

Oso hormiguero

Desde mucho tiempo atrás, los aborígenes lo llamaban "yurumí". Las selvas donde habitan estos animales se talan casi a diario y también se capturan para zoológicos y coleccionistas privados.

Yaguareté

Es el felino más grande de América. El hombre es su peor enemigo, lo persigue y captura por su carne o por su fama de "animal raro".

Zorro gris

Aunque son carnívoros su dieta es variada y se alimentan de frutos e insectos, especialmente en las estaciones del año en las que los roedores se esconden y no pueden atrapar aves. Desafortunadamente, se capturan únicamente por su piel, que es vista como un trofeo de cacería.

Adaptado de http://www.jugaconnatura.com.ar

1. Según el texto, ¿qué influencia tiene el hombre en el hábitat natural?

....

2. ¿Cuáles son las causas de la desaparición de algunas especies?

....

3. ¿Qué suelen hacer los animales para no morir?

....

4. ¿Qué animal se caza para venderlo vivo?

....

5. ¿Qué animal vive amenazado a causa de la deforestación?

....

10 Tu asociograma

Completa ahora tu propio asociograma con lo que has aprendido en esta unidad.

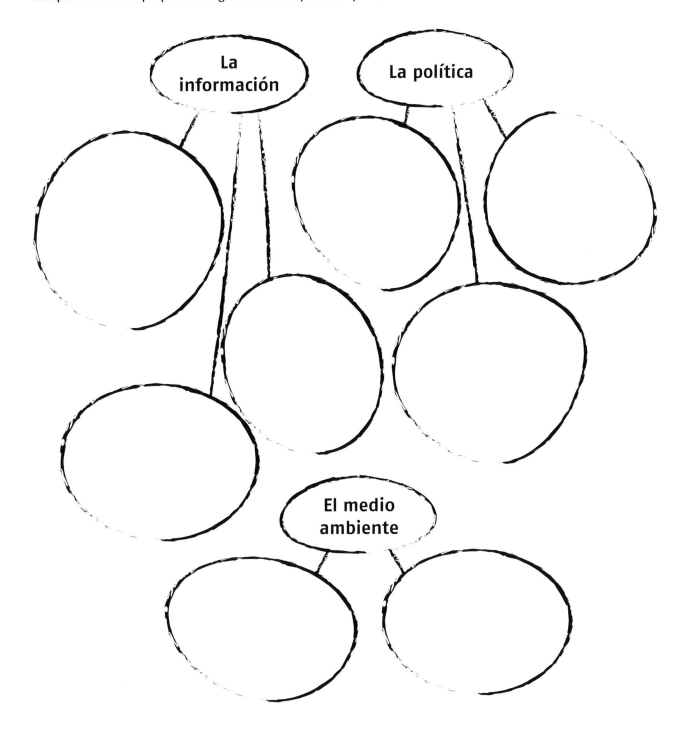

EL PRETÉRITO PERFECTO DE SUBJUNTIVO

El pretérito perfecto de subjuntivo se forma con el presente de subjuntivo del verbo **haber** y el participio del verbo conjugado (igual que en el pretérito perfecto de indicativo).

yo	haya	
tú	hayas	
él, ella, usted	haya	via**jado**
nosotros/as	hayamos	cono**cido**
vosotros/as	hayáis	vi**vido**
ellos, ellas, ustedes	hayan	

EXPRESAR OPINIÓN

Creo
Pienso   **que** + indicativo
Me parece

Creo que esta película *es* buenísima.
Pienso que estás haciendo lo correcto.
Me parece que Luis *es* el chico más guapo que he visto en mi vida.

No creo
No pienso   **que** + subjuntivo
No me parece

No creo que esta película *sea* tan buena.
No pienso que estés haciendo lo correcto.
No me parece que Luis *sea* tan guapo.

VALORAR: ES + ADJETIVO + INFINITIVO / ES + ADJETIVO + QUE + SUBJUNTIVO

Cuando valoramos una acción sin especificar quién la realiza, usamos:

(**No**) **Es** + adjetivo + infinitivo

Es útil hablar varias lenguas.
Es normal estar cansado después de una sesión de aerobic.

En cambio, cuando valoramos una acción y especificamos quién la realiza, usamos:

(**No**) **Es** + adjetivo **que** + subjuntivo

No es bueno que trabajes tanto.
Es increíble que Marta aún no te *haya llamado.*

LOS ADVERBIOS DE MODO

Estos adverbios sirven para expresar la manera en que se realiza la acción. Algunos adverbios de modo son: **mal**, **bien**, **mejor**, **peor**, **deprisa**, **despacio**...

Con el sufijo **–mente** podemos crear adverbios de modo a partir de la forma femenina singular del adjetivo correspondiente.

Adjetivo	Adverbio
amable	**amablemente** (de manera amable)
lenta	**lentamente** (de manera lenta)
rápida	**rápidamente** (de manera rápida)
clara	**claramente** (de manera clara)

 Algunos adverbios terminados en **–mente** no indican la manera en la que se hace algo:

normal **normalmente** (la mayoría de las veces)
rara **raramente** (con muy poca frecuencia)
segura **seguramente** (con mucha probabilidad)

EXPRESAR OBLIGACIÓN

Hay que + infinitivo sirve para expresar una obligación o necesidad sin especificar el sujeto (lo que decimos es aplicable a cualquiera).

Para jugar bien a tenis **hay que entrenar** *mucho.*
En Madrid **hay que visitar** *el museo del Prado, es precioso.*

Tener que / deber + infinitivo sirven para expresar la obligación o necesidad de hacer algo especificando el sujeto.

Usos

▶ En instrucciones:

Para hacer una buena paella, **tienes que comprar** *buenos ingredientes.*
Antes de usar este aparato por primera vez, **debe leer** *las instrucciones.*

▶ En consejos:

Tienes que hablar *con tu hermana, no podéis estar enfadados toda la vida.*
Debe cuidar *un poco más su alimentación y* **hacer** *un poco de deporte.*

▶ En normas y prohibiciones:

Perdone, para entrar, **tiene que quitarse** *los zapatos.*
Antes de pasar por el control **debe depositar** *sus objetos personales en una bandeja.*

COMPRENSIÓN DE LECTURA **LAS CLAVES DE LA TAREA 4**

EN QUÉ CONSISTE	FORMATO	TIPO DE TEXTO
En esta prueba tienes que reconstruir un texto completándolo con una serie de enunciados teniendo en cuenta sus elementos de cohesión.	Del texto que se propone se han extraído 6 fragmentos que corresponden a los 6 ítems que se señalan en el texto.	Catálogos, instrucciones, recetas sencillas, consejos y textos narrativos del ámbito público y personal con una extensión de entre 400 y 450 palabras.

Instrucciones

Lee el siguiente texto, del que se han extraído seis fragmentos.
A continuación lee los ocho fragmentos propuestos (A-H) y
decide en qué lugar del texto (1-6) hay que colocar cada uno de
ellos. Hay dos fragmentos que no tienes que elegir.

Marca las opciones seleccionadas en la **Hoja de respuestas**.

EL MOMENTO CRUCIAL

La crisis económica y la revolución de internet ponen duramente a prueba la industria periodística. Nadie sabe qué va a ocurrir, pero cada vez hay más lectores y los expertos creen en el futuro del periodismo.

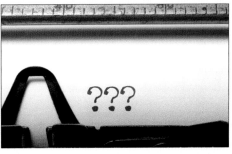

Los periódicos han desempeñado un papel central en la sociedad durante los últimos 200 años. 1. ....
Por eso muchas voces, muchas veces discordantes, se han sumado al debate sobre su futuro. 2. .... Los blogueros (por así llamarlos), están convencidos de que el periódico como lo hemos conocido durante 200 años está condenado a la extinción. Los viejos rockeros, defensores del antiguo orden, creen que tras una época de inevitables ajustes y transformación, los grandes buques insignia no solo sobrevivirán, sino que emergerán fortalecidos. 3...........................
Clay Shirky, uno de los blogueros más prolíficos y que más debate genera sobre el tema, resume el desdén que su bando siente hacia los reaccionarios del viejo periodismo cuando escribe: "Dale y dale, la gente dedicada a salvar periódicos siempre con la misma pregunta: 'Si el antiguo modelo está roto, ¿qué funcionará en su lugar?'. Y la respuesta es: Nada. Nada funcionará. 4. ....".

En el bando de los viejos rockeros destaca la voz de Bill Keller, director de *The New York Times*, el periódico con la plantilla más grande del mundo occidental: 1.200 redactores. Keller declara: 5. "...........................
Lo que yo espero es que durante un futuro previsible nuestro negocio siga siendo una mezcla de papel impreso y contenidos *online*, y que el crecimiento *online* compense el declive (gradual, esperemos) del papel".

Philip Bennett pertenece al bando de las mentes abiertas. Se niega a aceptar la premisa de que nada, nada funcionará, pero sí acepta que la estrategia de muchos periódicos de reducir gastos no ofrece ninguna solución a largo plazo y que hay que tener imaginación a la hora de buscar nuevos modelos tanto de negocio como de periodismo. 6. "...........................", dice. "Yo creo que la era del periódico está acabada, que el debate se debe centrar no en la supervivencia del periódico, sino en la supervivencia del periodismo tal como lo hemos entendido hasta ahora".

(Adaptado de El País, 10/05/2009)

A. Los de mentes abiertas (o confusas) observan el espectáculo con honesta perplejidad y no saben muy bien qué conclusiones sacar.

B. Influyen en el poder de los Gobiernos, en el dinero de las empresas y en el entretenimiento de las masas.

C. Los periódicos online han supuesto una bajada, en términos generales, de la calidad de la información.

D. La era de las grandes redacciones, de 800 en plantilla trabajando para una versión en papel y otra en la web, no parece viable.

E. En líneas generales hay tres corrientes de opinión.

F. No hay ningún modelo para reemplazar el que internet acaba de destrozar.

G. En los próximos años debemos examinar todas las opciones, poner todo a prueba.

H. No hay duda de que las revistas tendrán que especializarse antes o después.

EXPLICACIÓN DE LAS RESPUESTAS

1-B La frase anterior habla del papel que han desempeñado los periódicos en la sociedad y este enunciado lo que hace es enumerar qué ha hecho la prensa tradicional.

2-E Se habla de *voces* como sinónimo de 'opiniones', y en el enunciado se utiliza otra expresión, se dice que hay *tres corrientes de opinión* que significa que hay tres tendencias respecto a este tema.

3-A El autor enumera las dos primeras corrientes de opinión y lo que nos encontramos en este enunciado es la última de ellas. Primero habla de los blogueros, a continuación de los viejos rockeros y el último grupo sería el de las mentes abiertas.

4-F En el fragmento se habla de un modelo que hay que sustituir (*¿qué funcionará en su lugar?*) y en el enunciado nos da la respuesta, el verbo *reemplazar*, sinónimo de 'sustituir'.

5-G Keller habla de probar todas las opciones actuales, el papel y la versión *online* o, lo que es lo mismo, *poner todo a prueba*.

6-D Bennett habla de un nuevo modelo y dice que la era del periódico tradicional está acabada. En el enunciado se dice lo mismo al explicar que una plantilla como las que ha habido en los periódicos de toda la vida no es viable.

🔧 Piensa que muchas veces lo que nos dice el enunciado viene a resumir o a complementar lo que se dice en la frase o fragmento anterior. Normalmente los enunciados tratan el mismo tema.

🔧 En esta tarea es importante tener una idea general de lo que se dice en cada párrafo, ya que te puede ayudar a relacionar los enunciados, lo importante no es conocer todo el vocabulario palabra por palabra.

🔧 Piensa que tienes 70 minutos para completar las 5 tareas. Si encuentras dificultades para colocar alguno de los fragmentos, inténtalo con los siguientes. Ya retomarás los que hayas ido dejando.

🔧 Hay respuestas que se pueden descubrir por eliminación. Trata de descubrir cuáles no son posibles, esto también te puede servir para verificar tus respuestas una vez hayas terminado la tarea.

COMPRENSIÓN AUDITIVA **LAS CLAVES DE LA TAREA 4**

EN QUÉ CONSISTE	FORMATO	TIPO DE TEXTO
En esta prueba tienes que captar la idea central de monólogos o conversaciones breves informales.	Consta de 6 ítems de respuesta preseleccionada. Hay 9 opciones para 6 respuestas.	6 monólogos o conversaciones de tipo informal de ámbito público y profesional en los que se cuentan anécdotas o experiencias personales sobre un mismo tema. La extensión de los textos será de 50-70 palabras.

Instrucciones

Vas a escuchar a siete personas hablando sobre política. Escucharás a cada persona dos veces. Después debes seleccionar el enunciado (A-J) que corresponde al tema del que habla cada persona (1-6). Hay diez enunciados, incluido el ejemplo. Selecciona únicamente seis.

Marca las opciones elegidas en la **Hoja de respuestas**.

Ahora tienes 20 segundos para leer los enunciados.

La opción correcta es la E. Marca la respuesta en la **Hoja de respuestas**.

	ENUNCIADOS
A.	Piensa que los poderes económicos dominan a la sociedad.
B.	En su opinión, cualquier tiempo pasado fue mejor.
C.	Pertenece a un grupo político.
D.	Cree que los políticos roban.
E.	Piensa que los políticos lo deberían ser por vocación.
F.	Toda su familia y él son de derechas.
G.	Ha sido candidato a alcalde en dos ocasiones.
H.	Ha perdido el interés por la política.
I.	En su opinión, la política es la única forma de cambiar la sociedad.
J.	Cree que el voto debería ser obligatorio.

	A	B	C	D	E	F	G	H	I	J
0.					■					

PERSONA	ENUNCIADO
0	
1	
2	
3	
4	
5	
6	

Ejemplo

Persona 0: Hoy en día hay mucha gente que entra en el mundo de la política para ver qué provecho personal puede sacar. En mi opinión este es uno de los grandes problemas de la sociedad actual. Pocos políticos realizan trabajos por vocación sino que el interés económico y las ansias de poder es lo que realmente les mueve.

PERSONA 1

Me interesa mucho la política, estoy afiliado a un partido de izquierda desde que estudiaba en la universidad. Creo que es la única forma que tenemos de cambiar algo, ¿no? Lo que no entiendo es por qué hay tanta corrupción dentro del Gobierno. Creo que lo hacen porque saben que no les va a pasar nada si usan el tráfico de influencias o se quedan dinero público.

PERSONA 2

Yo soy muy conservador, toda mi familia lo es. Somos muy religiosos y tradicionales. Por eso no entendemos algunas leyes que han ido apareciendo en los últimos años, como la que permite el matrimonio entre homosexuales. En mi opinión, antes de tomar una decisión tan importante hay que consultar al pueblo. Así participaríamos todos más en la vida política.

PERSONA 3

A mí la política no me ha interesado nunca. Creo que la mayoría de las personas que se meten en política lo hacen para ganar dinero y tener poder. Quizás en los ayuntamientos de pueblos pequeños es diferente pero en las grandes ciudades son todos unos ladrones y están en política para ayudar a grandes empresas.

PERSONA 4

Cuando era más joven la política me interesaba muchísimo. En tiempos de Franco siempre iba a reuniones clandestinas del partido comunista. Más tarde, cuando llegó la democracia, me afilié a un sindicato y así estuve hasta que me jubilé. Yo trabajaba en las minas de Boinás, en Asturias, y siempre defendí los derechos de los trabajadores. Ahora ya no me interesa nada, los políticos me han decepcionado.

PERSONA 5

Yo soy joven, tengo 24 años, y no entiendo el desinterés que hay hacia la política. Hoy en día todo el mundo habla mal de los políticos pero, en mi opinión, la política es la única arma que tenemos para conseguir mejoras sociales. Como en todas partes siempre habrá gente que haga bien su trabajo y gente que no, ¿no? Es injusto meterlos a todos en la misma bolsa.

PERSONA 6

¿La política? Pero si los políticos no gobiernan... En realidad quienes nos gobiernan son las grandes empresas. Hoy en día el poder no es del pueblo, la democracia no existe. Todo depende del dinero. Lo que hacen todos los partidos, de izquierdas o de derechas, es cumplir órdenes de las multinacionales.

1	2	3	4	5	6
c	f	d	h	i	a

EXPLICACIÓN DE LAS RESPUESTAS

1-C En la audición el hombre dice que está *afiliado a un partido de izquierdas*, lo que equivale a decir que pertenece a un grupo político.

2-F Ser de derechas es lo mismo que decir que se tiene una ideología conservadora.

3-D La mujer dice que, en su opinión, los políticos son unos ladrones, lo que equivale a decir que roban.

4-H El hombre ha perdido interés por la política ya que al principio de su testimonio dice que antes le interesaba muchísimo pero, al final, dice que ahora no le interesa nada.

5-I Este chico cree en el poder de cambio de la sociedad que tiene la política. Lo expresa cuando dice que es *la única arma que tenemos para conseguir mejoras sociales*.

6-A Este chico piensa que los grandes poderes económicos dominan la sociedad cuando dice que *lo que hacen todos los partidos (...) es cumplir órdenes de las multinacionales*.

🔧 Es importante leer bien los enunciados pero recuerda que el tiempo que tendrás entre la entrega del examen y el inicio de la audición es de 1 minuto, así que deberás leer rápidamente.

🔧 Ten en cuenta que en esta tarea vas a escuchar monólogos breves de muy corta duración, así que toda la información que oigas puede ser relevante.

🔧 Piensa que, a veces, los tres enunciados que no hay que seleccionar hacen referencia a cosas de las que se hablan en los monólogos o conversaciones. No te dejes llevar por una primera impresión y espera a la segunda audición para marcar tu respuesta.

🔧 Recuerda que una respuesta en blanco hará bajar tu puntuación de la misma forma que una respuesta errónea, así que, si no sabes una de las respuestas, marca igualmente una de las opciones de respuesta.

EXPRESIÓN E INTERACCIÓN ESCRITAS **LAS CLAVES DE LA TAREA 2**

Las tareas de expresión e interacción escritas son dos y ya las hemos visto en unidades anteriores. Por lo tanto en esta unidad las vamos a repasar del mismo modo que lo hemos hecho en la unidad 3 con la Tarea 1. Aquí vamos a volver a trabajar la Tarea 2, en la que lo esencial es:

– redactar un texto descriptivo o narrativo.

– expresar la propia opinión y aportar información personal de interés.

Instrucciones

Lee el siguiente mensaje publicado en un blog dedicado a la comida vegetariana. Escribe un comentario para enviar al blog en el que cuentes:

– cuál es tu tipo de comida favorita;

– qué opinión tienes de la comida vegetariana;

– aspectos positivos y negativos de este tipo de alimentación.

Número de palabras: entre 130 y 150.

En nuestro blog encontrarás toda la información necesaria para conseguir una alimentación vegetariana variada, sabrosa y saludable: recetas, información, tiendas, libros y mucho más. ¿Eres vegetariano o estás pensando en serlo? Comparte tus comentarios con nosotros en nuestro blog.
¡Te esperamos!

Noticias

Galerías

Vídeos

EJEMPLO DE PRODUCCIÓN ESCRITA

Mi comida favorita es la comida japonesa. Creo que es muy sana y sabrosa, tiene todo tipo de ingredientes: verduras, carne, pescado, legumbres... La comida vegetariana me gusta bastante aunque yo no sé si podría ser vegetariano. Puedo pasar el resto de mi vida sin comer carne pero sin el pescado, lo dudo mucho. Me encanta todo el pescado y cualquier alimento proveniente del mar. Creo que el hecho de ser vegetariano tiene aspectos positivos ya que es muy sano y se respeta la vida animal, pero también creo que puede ser un poco aburrido alimentarse solo de productos de la huerta.

En esta segunda tarea hay dos opciones de las que tendrás que elegir una de las dos. Léelas y elige aquella sobre la que puedas expresarte más fácilmente, por la familiaridad con el tema o por tu experiencia personal.

En esta tarea se te va a evaluar tu capacidad de describir o narrar una experiencia personal, un sentimiento o una anécdota y expresar tu opinión en base a un contexto propuesto en el texto de entrada. Lee bien el texto de entrada para saber qué tipo de texto tienes que escribir y adecuarte a la estructura. Y a continuación lee bien las pautas propuestas, que te van a servir de esquema para tu escrito.

Piensa que tienes que escribir entre 130 y 150 palabras, es decir, unas 15 líneas. No es necesario que te extiendas demasiado en cada una de las pautas, pero sí es conveniente escribir de manera precisa sobre cada una de ellas. Eso será suficiente para cubrir el número de palabras exigido.

EXPRESIÓN E INTERACCIÓN ORALES **LAS CLAVES DE LA TAREA 4**

EN QUÉ CONSISTE	FORMATO	MATERIAL DE ENTRADA
En esta tarea tienes que mantener una conversación a fin de satisfacer necesidades cotidianas o intereses personales: hacer cambios o devoluciones, solicitar un servicio, hacer una queja o una consulta, confirmar o concertar una cita, solicitar una información, quedar con amigos, etc.	Deberás mantener una conversación con el examinador simulando una situación cotidiana, a partir de la fotografía de la Tarea 3. La duración será de 2–3 minutos.	Tienes una tarjeta de rol con información que debes conocer para contextualizar la situación.

Instrucciones

Dialoga con el entrevistador en una situación simulada durante 2 o 3 minutos.

SITUACIÓN

Llevaste hace una semana un traje a la tintorería y, al recogerlo, has visto que le han quemado una manga con la plancha.

Imagina que eres el cliente y que el entrevistador es el empleado de la tintorería. Habla con él siguiendo las indicaciones. Durante la conversación con el empleado de la tintorería deberás:

➤ explicarle cuándo llevaste el traje;

➤ explicarle cuál es el problema;

➤ pedirle que te paguen un traje nuevo.

EJEMPLO DE PRODUCCIÓN ORAL

Empleado: Hola, buenos días. ¿En qué puedo ayudarle?
Cliente: Pues mire, el pasado martes les dejé aquí un traje para lavar y planchar y hoy, al llegar a casa, he visto que tenía una manga quemada.
Empleado: ¿Una manga quemada? No puede ser, aquí somos muy profesionales.
Cliente: No lo dudo, pero ustedes, como cualquiera, pueden cometer un error, ¿no?
Empleado: Es posible, pero tenía que haber informado de esto al recoger el traje, yo no sé si esto ha pasado aquí o ha pasado en su casa.
Cliente: Esto es increíble, me está llamando mentiroso.
Empleado: Perdone pero yo no le he llamado mentiroso, la cuestión es que no sé qué quiere que haga.
Cliente: Solo tiene que preguntar a los empleados si alguno recuerda haber quemado un traje azul marino entre el martes y el jueves.
Empleado: Está bien, lo haré.
Cliente: En caso de tener razón, espero que me paguen lo que me costó el traje.
Empleado: Tendré que consultarlo con mi jefe, ahora no está. Hablaré con el jefe y con los trabajadores, pase mañana a partir de la diez.
Empleado: Está bien, hasta mañana.
Cliente: Hasta mañana.

En esta tarea tendrás una tarjeta de rol donde se presenta el contexto en el que se desarrollará la conversación. No tendrás tiempo de preparación pero sí el tiempo suficiente como para leer atentamente la información de la tarjeta.

Si no has entendido lo que debes hacer en la tarea pídele al entrevistador que te lo explique de nuevo.

Si durante la conversación no recuerdas alguna palabra intenta decir lo mismo con otras palabras y sigue hablando. Lo importante es que puedas desarrollar el diálogo de forma fluida con el menor número de errores posible.

Presta especial atención a las respuestas del entrevistador durante la conversación ya que, en esta tarea, uno de los aspectos fundamentales es la interacción con él.

5

Lo importante es la salud

En esta unidad vamos a dar y recibir consejos y a hablar de alimentación, del cuidado del cuerpo y de problemas de salud.

Para ello vamos a aprender:

Recursos para la comunicación

❭ Dar una orden o instrucción ❭ Responder a una orden, petición o ruego ❭ Dar / Pedir / Denegar permiso ❭ Prohibir / Rechazar una prohibición ❭ Proponer y sugerir ❭ Aceptar / Rechazar una propuesta ❭ Aconsejar ❭ Pedir a alguien que guarde silencio

Léxico

❭ Léxico del cuidado del cuerpo y de la salud e higiene personal, las enfermedades (dolor de cabeza, estómago, etc.) y la estética (engordar, adelgazar, hacer dieta) ❭ Léxico de la alimentación (dieta, nutrición, bebidas, recetas, platos típicos, etc.), la cesta de la compra (pesos, medidas, herramientas de cocina, etc.)

Gramática

❭ Los posesivos ❭ Pronombres átonos de objeto indirecto: **me**, **te**, **le**... ❭ Combinación de los pronombres átonos ❭ El imperativo: afirmativo y negativo ❭ Oraciones con **para**

Cultura

❭ Gastronomía y recetas de los países de habla hispana: la cocina española, mexicana y argentina. Remedios caseros para mejorar la salud

Mi vida

¿Qué como?
Sigo una dieta equilibrada.

¿Cómo me cuido¿
Hago mucho deporte y llevo una vida sana.

Mi cuerpo

Mis remedios
Cuando me duele algo, sigo los consejos de mi abuela.

Mi dieta
Comer mucha sal es malo, por eso la estoy eliminando de mi dieta.

1 Las recetas de la abuela

A. Lee los síntomas de las siguientes personas y escribe debajo de cada una qué problema crees que tienen. Puedes elegir entre los que te proponemos. No se tienen que elegir todos.

resfriado   inflamación en las encías   arrugas en la cara

enrojecimiento de la piel   estreñimiento   falta de energía

engordar   acné   mal aliento

1 ¡Estoy agotada! No consigo levantarme por las mañanas, durante el día me paso todo el rato sentada porque no puedo moverme, y a las diez de la noche ya no tengo fuerzas para nada más...

....

2 Tengo problemas en la cara, tengo muchos granos y no sé qué hacer, porque me encuentro muy fea.

....

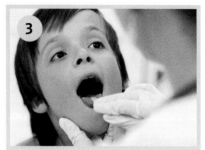

3 Me duele mucho la garganta y toso mucho. Mi mamá ha hablado con el médico y le ha dicho que tome pastillas, pero seguro que la abuela tiene un consejo mejor para mí.

....

4 Aunque me duelen los dientes en realidad el dolor más fuerte me llega de la parte de abajo, tengo la boca muy roja, como inflamada.

....

5 Yo, de joven, tenía la piel totalmente lisa, mi cara era casi de porcelana, pero el paso del tiempo se nota, sobre todo en la frente y alrededor de los ojos.

....

B. Comenta con tu compañero con qué problema has relacionado a cada una de las personas y, entre los dos, dadles un consejo. Sigue el ejemplo.

● Yo creo que la chica de la segunda foto tiene problemas en la piel de la cara, puede ser acné. Según mi opinión tiene que lavarse con un buen jabón.

○ Sí, yo también creo que tiene acné, pero para mí debería ir al médico y consultarle qué hacer.

C. Escucha ahora los remedios caseros que da una abuela en un programa de radio. Completa la tabla con el problema, el consejo y los alimentos o remedios que se necesitan para combatir los síntomas.

Problema	Consejo	Alimentos / remedios

Dar consejos

▸ **deberías** + infinitivo

Si te duele siempre la cabeza, **deberías ir** al médico.

▸ **¿por qué no** + presente?

¿Por qué no te tomas una pastilla?

▸ **lo mejor es que** + presente de subjuntivo

Si quieres solucionar tus problemas de piel, **lo mejor es que consultes** a un especialista.

▸ **aconsejar/recomendar** + infinitivo

Te aconsejo descansar un poco.

D. ¿Conoces algún remedio natural para mejorar la salud? ¿Puedes dar algún consejo o desaconsejar algo para los siguientes casos? Coméntalo con tu compañero. Usa las construcciones del recuadro.

Para el dolor de cabeza,
Para tener un pelo más brillante,
Para tener una piel bonita,
Para combatir la vista cansada,
Para el dolor de pies,
Otros...

poder + infinitivo
aconsejar + infinitivo
recomendar + infinitivo
deber + infinitivo
no deber + infinitivo
tener que + infinitivo

▸ **para** + infinitivo

Para conciliar mejor el sueño, puede tomar infusiones de valeriana.

▸ **para que** + subjuntivo

Para que el pelo te brille más, puedes usar un champú de tomillo.

Para el estreñimiento, mi madre me aconseja comer kiwis por las mañanas, es bueno para ir al baño.

② La alimentación antiestrés

A. Lee el siguiente artículo y complétalo con las siguientes palabras.

agua   leche   frutos   alimentos   minerales   cereales

La comida saludable ayuda a prevenir el estrés

La alimentación adecuada es la base de una vida activa y sana. Además, sus efectos beneficiosos se pueden reflejar también en el estado de ánimo y combatir el estrés. Ello se debe a que ciertas vitaminas y .... ayudan a mantener un adecuado funcionamiento del sistema nervioso.

Entre los .... con más propiedades antiestrés están las frutas, las verduras y los .... secos. Las frutas tienen un alto contenido en proteínas, además de vitaminas y minerales como calcio, potasio y hierro, esenciales para mantener las células nerviosas en buen estado. Estas sustancias relajan el organismo y previenen una posible inflamación provocada por el estrés.

Es recomendable consumir estos alimentos diariamente, además de tomar ...., por su concentración de fósforo, potasio y vitamina B12, elementos beneficiosos para el sistema nervioso.

Todo esto, acompañado de de seis a ocho vasos diarios de .... , juega un rol fundamental en una alimentación equilibrada, con una correcta hidratación.

Recomendaciones

▶ Evite el consumo de grasas porque estas provocan enfermedades crónicas y también alteran el metabolismo.

▶ Tome mucha fibra, contenida en los ...., porque mejoran la digestión y limpian el organismo, lo que da vitalidad y mejora el rendimiento de la persona.

(Adaptado de http://www.hoy.com.ec/noticias-ecuador/la-comida-saludable-ayuda-a-prevenir-el-estres-334887.html)

B. Continúa las siguientes frases para que expresen lo mismo que en el texto.

1. Para mantener un adecuado funcionamiento del sistema nervioso, hay que ....
....

2. Una posible inflamación provocada por el estrés la evitan ....
....

3. Se aconseja tomar estos alimentos ....
....

4. Evitar el consumo de grasas es bueno ....
....

5. Tomar mucha fibra es recomendable para ....
....

3 Recetas sabrosas que hablan español

A. Lee las siguientes recetas y complétalas con los ingredientes del recuadro.

unas hojas de cilantro fresco	80 g de tomate
cáscara de limón	75 g de azúcar molida
pan rallado	75 g de harina

1 Croquetas de jamón

Ingredientes para unas 30 croquetas

- ✔ 1 l de leche entera
- ✔ 100 g de jamón en lonchas
- ✔ ....
- ✔ 75 g de mantequilla
- ✔ sal
- ✔ nuez moscada
- ✔ huevos
- ✔ ....

Cómo hacer croquetas sabrosas de jamón

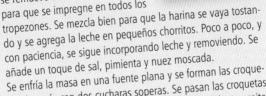

Se echa el jamón cortado en taquitos pequeños y la harina a la sartén, se remueve con la cuchara de palo para que se impregne en todos los tropezones. Se mezcla bien para que la harina se vaya tostando y se agrega la leche en pequeños chorritos. Poco a poco, y con paciencia, se sigue incorporando leche y removiendo. Se añade un toque de sal, pimienta y nuez moscada. Se enfría la masa en una fuente plana y se forman las croquetas después con dos cucharas soperas. Se pasan las croquetas por huevo batido y pan rallado y se fríen en abundante aceite de oliva muy caliente. Se escurre en papel absorbente y se lleva a la mesa inmediatamente. ¡Que aproveche!

2 Guacamole

Ingredientes para 2 personas

- ✔ 2 aguacates
- ✔ 40 g de cebolla
- ✔ ....
- ✔ 1 chile serrano (yo no encontré y usé uno jalapeño en conserva)
- ✔ 1/2 limón (o lima)
- ✔ ....

Cómo hacer un buen guacamole

Antes de pelar los aguacates, prepare los demás ingredientes para que el aguacate no se ponga oscuro (se oxida en contacto con el aire). Tome la cebolla y píquela muy fina. Con el tomate haga lo mismo: quítele las semillas y píquelo muy fino (si quiere quítele también la piel).
Machaque las hojas de cilantro, añada solo un poco, pues su sabor es muy pronunciado. Con el chile haga lo mismo, para no pasarnos trocéelo muy fino y llene una cuchara pequeña. Después, si hace falta, añada más.
Pele los aguacates. Cuando los tenga pelados, coja la pulpa y con un tenedor haga un puré en un bol, añada un poco de zumo de limón (una cucharada pequeña), todos los ingredientes que ha preparado y una pizca de sal.
Mezcle todo bien y si hace falta añada más sal, chile o cilantro, a su gusto. ¡Fuera de la cocina y a comer!

3 Arroz con leche

Ingredientes para cuatro raciones

- ✔ 1 l de leche
- ✔ chaucha de vainilla o canela en rama
- ✔ una pizca de sal fina
- ✔ 1/2 taza de arroz blanco
- ✔ ....
- ✔ ....
- ✔ 50 g de crema de leche

Cómo preparar un buen arroz con leche

Colocar en una cacerola la leche, la vainilla, la sal, el arroz y el limón (cáscara). Cocinar a fuego lento removiendo, de tanto en tanto, con cuchara de madera. Cuando el arroz con leche adquiera una textura melosa, agregar el azúcar y cocinar unos minutos. Retirar la vainilla y el limón, incorporar la crema de leche y dejar enfriar. Servir en compoteras individuales. Cuando el arroz esté frío, espolvorear un poco de canela por encima. Cada comensal podrá acompañar el arroz con el dulce que más le guste (dulce de leche, caramelo, pasas o higos en almíbar).

Las medidas

1 litro= **1 l**

½ litro= **½ l**

1 kilogramo = **1 kg**

500 gramos = **500 g**

Hay otras medidas que no son muy exactas pero se usan mucho en la cocina:

una cucharada

½ taza

una pizca (de sal)

un puñado (de arroz)

una rama (de canela)

una porción (de tarta)

Utensilios para cocinar

Los utensilios más frecuentes en la cocina son: **la sartén, la olla** o **cazuela, la fuente, la espumadera**...

Si no conoces estas palabras, búscalas en el diccionario y forma frases con ellas para recordarlas.

B. En las recetas anteriores se usan formas y tiempos verbales diferentes para dar las indicaciones. ¿Qué se usa en cada caso?

1. ....

2. ....

3. ....

C. En un blog de cocina internacional hay un concurso de platos exóticos y raros. Piensa en un plato y escribe tu receta para participar en el concurso. Usa el imperativo en la forma de tú para dar las indicaciones.

> www.eldifublogdecocina.difu
>
> ¿Eres un artista en la cocina? Cuéntanoslo. Comparte tu receta en este blog.

④ No puedo. Estoy a dieta

A. Vas a escuchar a cuatro personas que están haciendo dieta. Anota en el cuadro los motivos de cada uno.

Roberto	
Esther	
Ángeles	
Marcos	

B. ¿Qué consejos puedes darles para que no se salten la dieta? Completa las frases.

1. Creo que Roberto tiene que ....
   porque ....

2. Esther debería..
   porque..

3. Ángeles debe ....
   porque..

4. Hacer .... sería bueno para Marcos
   porque ....

Otros ....

5 Hacer la compra

A. Lee las siguientes pautas para hacer la compra y subraya todos los imperativos que encuentres. Después escribe el infinitivo de cada uno. ¿Con qué tiempo verbal coincide esta forma del imperativo?

Criterios para una cesta de la compra responsable

✦ No consuma compulsivamente. Compre lo que necesite de verdad.

✦ Ayude al "comercio justo", que se basa en unas relaciones comerciales equitativas y promueve procesos de producción respetuosos con el entorno cultural y medioambiental.

✦ Elija lo natural, reciclable y ecológico.

✦ Rechace los productos con embalaje excesivo o innecesario (como las populares bandejas de corcho blanco), así como el uso de bolsas de plástico.

✦ Apoye el comercio local. Contribuirá a reducir las emisiones de CO_2 debido a la reducción de emisiones relacionada con el transporte de productos.

✦ Consuma frutas y verduras de temporada. Ofrecen el mejor aporte nutricional (en el momento de su recolección mantienen intactas todas sus propiedades), suelen ser las más económicas y su consumo ayuda a evitar que se planten monocultivos intensivos que agotan la tierra.

✦ Elija especies pescadas con artes selectivas, locales o procedentes de caladeros explotados de forma sostenible, y evite los "pezqueñines" o inmaduros, además de la compra del langostino tropical.

Adaptado de http://www.revistaesposible.org

B. Lee las siguientes opiniones sobre la manera de comprar de algunas personas, ¿cuál crees que tiene un criterio más responsable y por qué?

Pep: "Yo soy vegetariano y además estoy muy atento a todos los productos que compro. A veces dicen que son biológicos, pero cuando miras la etiqueta, te das cuenta de que no es verdad."

María: "La verdad es que siempre hago la compra con mucha prisa. Hago una lista antes de salir de casa, pero nada... cuando llego al súper, empiezo a comprar todo lo que me apetece y claro, esa no es manera, porque muchas veces tengo que tirar comida que caduca."

Emma: "Estoy harta de llegar a casa y tirar tanto papel, cartón y plástico. No es posible que unas galletas lleven una caja de cartón, un envoltorio de plástico y una base de otro plástico. Nos estamos pasando con el planeta. No paramos de generar basura. Yo bajo con mi bolsa de tela a comprar, pero subo con una cantidad de plástico innecesaria."

Paco: "La verdad es que a mí me encantan las verduras y me gusta comprarlas de temporada, pero cuando en verano me ofrecen una tortilla de alcachofas, pues... yo me la como y si tengo que hacer alguna recetita de invierno en verano, pues la hago con los productos que encuentro, ¡qué le voy a hacer!"

Víctor: "Que no, que no, que las cosas se tienen que comprar en su momento. Hay que dejar crecer los productos que nos da la tierra y recolectarlos o pescarlos cuando toque. Recuerdo esa canción de hace años que decía... "quererte es como comer naranjas en agosto y uvas en abril", vamos, que no, que las naranjas son para el invierno y las uvas, para el otoño."

Según mi opinión, Víctor es un comprador responsable porque...

C. Y tú, ¿crees que haces una compra responsable? Justifícalo y pon algunos ejemplos.

Yo creo que mi cesta es bastante equilibrada porque compro...

6 Higiene personal

A. Jaime es un niño muy bueno y aplicado en todo. Sigue el ejemplo y escribe las respuestas que le da a su madre. Presta atención a la posición de los pronombres.

Jimena	Jaime
Lávate las manos antes de comer.	Siempre me las lavo.
Lávate los dientes después de comer.	
No te comas las cosas que se te han caído al suelo.	
Cierra el tubo de la pasta de dientes cuando termines.	
Pon la ropa sucia en la lavadora.	
No toques al perro mientras comes.	

B. Lee estas recomendaciones sobre higiene y modifica las frases utilizando pronombres donde sea necesario y usando el imperativo. Atención, hay frases en las que los sustantivos no se pueden sustituir por un pronombre. Sigue el ejemplo.

CUESTIÓN DE HIGIENE

Para tener una higiene personal adecuada, es conveniente:

- Lavarse bien y frecuentemente las manos.
- Llevar las uñas bien cortadas y limpias.
- No estornudar ni toser sobre los alimentos.
- Llevar el cabello recogido y la ropa limpia.
- No utilizar pañuelos ya usados y sucios.
- Cambiarse la ropa sudada.
- Meter en el armario solo la ropa limpia.

Combinación de pronombres

El pronombre de objeto indirecto (**le** / **les**) cambia a **se** cuando va seguido del pronombre de objeto directo (**lo(s)** / **la(s)**).

- ● ¿**Le** has dado el regalo a tu hermano?

- ○ Sí, ya **se** lo he dado.

- ○ Sí, ya ~~le~~ lo he dado.

El pronombre átono (**me** / **te** / **le**) puede tener un uso anafórico para enfatizar.

A Pedro **le** he comprado el regalo.

A ti **te** he visto con él.

Las manos, lávatelas bien y frecuentemente.
....

....

....

....

....

....

7 Estética y cuerpo

A. Lee la siguiente entrada de un blog dedicado a la estética y responde a las preguntas a continuación.

http://www.blogestetica.difu

El culto al cuerpo

El "culto al cuerpo", relacionado con la idea de "sentirse y verse bien", ha ido evolucionando a lo largo de la historia. Actualmente es una preocupación general que atraviesa todos los sectores y clases sociales y principalmente se enfoca hacia la estética y la salud.

En nuestra sociedad moderna, la preocupación por el cuerpo es un rasgo característico. Muchas veces, tal preocupación es una manera de divertirse o entretenerse con una serie de hábitos físicos, sensoriales y mentales que, aunque existían desde el comienzo del siglo, se incorporaron sistemáticamente al día a día de sus habitantes en la segunda década del siglo xx.

Nuestro presente viene condicionado por el pasado. En 1920, se configuró un nuevo ideal físico promovido por la imagen cinematográfica. Hacia el final de la década, las mujeres, bajo el impacto combinado de las industrias de los cosméticos, de la moda, de la publicidad y de Hollywood, incorporaron el uso del maquillaje, principalmente el lápiz de labios, en sus vidas cotidianas y se pasó a valorizar el cuerpo esbelto y firme. La combinación de esas cuatro industrias fue fundamental para la victoria del modelo del cuerpo delgado sobre el del obeso.

En los años cincuenta del siglo xx, debido a la expansión del tiempo libre y la explosión publicitaria en la posguerra, el culto al cuerpo y la práctica del deporte se extendió. El cine y la televisión colocaban imágenes de estrellas de cine con blanca sonrisa y cabellos brillantes anunciando crema dental y champú, mostrando su cuerpo y un nuevo concepto de higiene.

En los años ochenta, la práctica del culto al cuerpo no solo se realizaba durante los meses de verano, sino que se amplió a lo largo de todo el año. La práctica de deporte pasó a ser más regular y cotidiana, con un aumento del número de gimnasios en las ciudades. Al mismo tiempo, se desarrolló la "generación salud", que, en contraposición al modelo de la generación anterior, se oponía a las drogas y defendía el medio ambiente, el naturalismo y el sexo seguro.

La nutrición o dietética está ligada a la preocupación por el cuerpo hoy en día. Existe un cambio en la cultura alimentaria de las sociedades occidentales donde se promocionan las carnes blancas asadas, lácteos, legumbres y frutas frescas, en sintonía con la idea de que el cuerpo perfecto exige una alimentación ideal.

Continuamente, tanto en revistas como en televisión, se habla de dietas milagrosas para perder peso o productos de adelgazamiento. Ninguna sociedad en la historia ha producido y difundido tal volumen de imágenes del cuerpo humano a través de periódicos, revistas y anuncios. La imagen idealizada puede afectar a la sociedad creando desequilibrios personales o enfermedades. Por este motivo, además de una buena educación, son muy importantes la reflexión, el conocimiento y la autovaloración.

(Adaptado de http://www.dolceta.eu/espana/Mod5/Diferencias-generacionales.html)

---

1. Según el texto, el culto al cuerpo...

☐ a) ha cambiado en las diferentes épocas.

☐ b) es un nuevo concepto, no tiene más de cien años.

☐ c) pertenece a una clase social concreta.

Frase donde aparece este contenido:

Ha ido evolucionando a
lo largo de la historia
....

2. En el texto se dice que hoy en día la preocupación por el cuerpo...

☐ a) nace de la obsesión por el deporte y las dietas.

☐ b) no existía a principios del siglo xx.

☐ c) está presente como una forma de diversión.

Frase donde aparece este contenido:

....
....
....

3. Hacia finales de los años veinte...

☐ a) no existía un modelo estético definido.

☐ b) cambió la concepción de lo que se considera un buen cuerpo.

☐ c) las mujeres dejaron de pintarse los labios.

Frase donde aparece este contenido:

....
....
....

4. El texto dice que la "generación salud"...

- [ ] a) nació en los ginmasios en los años ochenta.
- [ ] b) desarrolló el modelo de la generación anterior.
- [ ] c) defendía valores opuestos a los de la generación anterior.

Frase donde aparece este contenido:

....

....

5. Según el texto, una imagen idealizada...

- [ ] a) solo se puede apreciar a través de los medios de comunicación.
- [ ] b) puede afectar positivamente a la educación.
- [ ] c) puede tener efectos negativos en la sociedad.

Frase donde aparece este contenido:

....

....

B. Escucha las siguientes afirmaciones sobre la belleza. ¿Estás de acuerdo con ellas? Expresa tu opinión.

1. *Pues yo creo que los hombres no eran ni más guapos ni más feos...*
....

2. ....

3. ....

4. ....

8 Deporte y dieta

A. Relaciona cada una de las personas de la página siguiente con uno de los deportes de los que habla este texto. Hay uno que no tienes que seleccionar.

Los cinco deportes que hacen quemar más calorías

1 Las artes marciales.
El kárate, el judo, el *kick boxing*, el kung-fu y el taekwondo ayudan a perder peso porque prevén una parte aérobica en la que se entrena la respiración y la musculatura. En una hora de entrenamiento se pueden quemar 1 300 calorías.

2 Los deportes de equipo.
En los 90 minutos de un partido de futbito, un hombre de 70 kilos quema unas 1 050 calorías. Si el juego se hace en tierra, los movimientos son más intensos. En un partido de vóleibol se queman 484 kcal aproximadamente, mientras que en uno de baloncesto se llega a 840 y en uno de squash a 800.

3 Correr.
Correr permite quemar hasta 820 calorías por hora y activa el metabolismo aéróbico que quema las grasas. Para calcular la intensidad ideal se tiene que restar la propia edad a la cifra 220 y se calcula el 70 % del total. El resultado es el número de la frecuencia cardiaca al minuto que se tiene que tener durante la carrera.

4 Saltar a la cuerda.
Considerado solo un juego clásico de las niñas, en realidad es también un típico ejercicio de los boxeadores, mejora la postura y permite quemar entre 715 y 680 calorías a la hora.

5 Esgrima.
De media se consumen unas 600 calorías por hora y estimula sobre todo los músculos de los miembros inferiores, del brazo que empuña el arma y del abdomen. Por eso, así como sucede con el tenis, son necesarios ejercicios de compensación para el otro brazo.

Valeria: Yo no estoy muy gordita, pero necesito fortalecer más las piernas y los brazos, que los tengo débiles. Y además, me encantan las espadas.

Sandra: Necesito adelgazar bastante, creo que tengo que quemar más de mil calorías al día. No me gusta hacer deporte a mí sola, necesito hacerlo con otros y si es en un gimnasio, mucho mejor.

Patricia: Me han recomendado que haga deporte para mejorar la colocación de la espalda y, además, para rebajar un poco mi peso actual. Y lo más gracioso es que yo no sabía que saltando la columna se coloca en su sitio.

Luis: A mí solo me gusta hacer deporte con los amigos, aunque después de los partidos recuperamos las calorías porque siempre nos vamos a tomar unas cervecitas.

B. Ahora escribe la descripción de una persona que practique el deporte del texto que ha quedado sin seleccionar.

El posesivo

El posesivo se tiene que sustituir obligatoriamente por un pronombre (**me / te / se / nos / os / se**) y un artículo (**el / la / los / las**) cuando queremos hablar del cuerpo o de las cosas que llevamos puestas.

Me han cortado **el** pelo.
~~Han cortado mi pelo.~~

Me han arreglado **los** zapatos.

~~Han arreglado mis zapatos.~~

9 Sin decir palabra

A. Nuestro mundo está lleno de señales. ¿Sabes qué significa cada una de ellas? A continuación te presentamos algunas, escribe al lado el significado que tú crees que tienen.

....

....

....

....

....

Significa que hay que guardar silencio.
....

El lenguaje no verbal: las señales

Las señales casi siempre indican un aviso, una prohibición o un permiso. Normalmente no van acompañadas de un texto explicativo, pero, cuando tenemos que hacerle notar a alguien su presencia, las señalamos y transmitimos lo que quiere decir para que se cumpla. Así pues, si estamos en la biblioteca y alguien está hablando, podemos apuntar hacia la señal de silencio con el dedo y decir en voz baja:

Silencio, por favor.

Aquí no se puede hablar.

No hable, por favor.

B. ¿Qué señales del apartado anterior podrían aparecer en los siguientes lugares? Indica también cuál sería el mensaje verbal.

En una biblioteca: *La señal de guardar silencio. "No hables en voz alta, por favor."*

En un museo: ....

En un bar: ....

En un aeropuerto: ....

En un lago: ....

En una clase: ....

10 ¡Ay, pues vaya!

Cuando hablamos, solemos hacer gestos que ayudan a dar sentido a lo que decimos. Relaciona las ilustraciones de la izquierda con los diálogos de la derecha y complétalos.

A
- ¡Ey, María! ¿Qué tal?
- ¡Ey! ....

B
- ¡Hombre! Me han dicho que anoche estuviste de fiesta hasta muy tarde.
- ¿ *Yo* ? ¡Qué va! Seguro que me han confundido con otro...

C
- ¿Qué te pasa, Pedro? No te veo bien.
- Uy, es que ....

D
- ¡Tsschhh...! ...., que estamos en una biblioteca.

E
- Me dijeron que te operaron, ¿cómo te encuentras?
- ¡Mmmhhh...! ....

11 **Tu asociograma**

Completa ahora tu propio asociograma con lo que has aprendido en esta unidad.

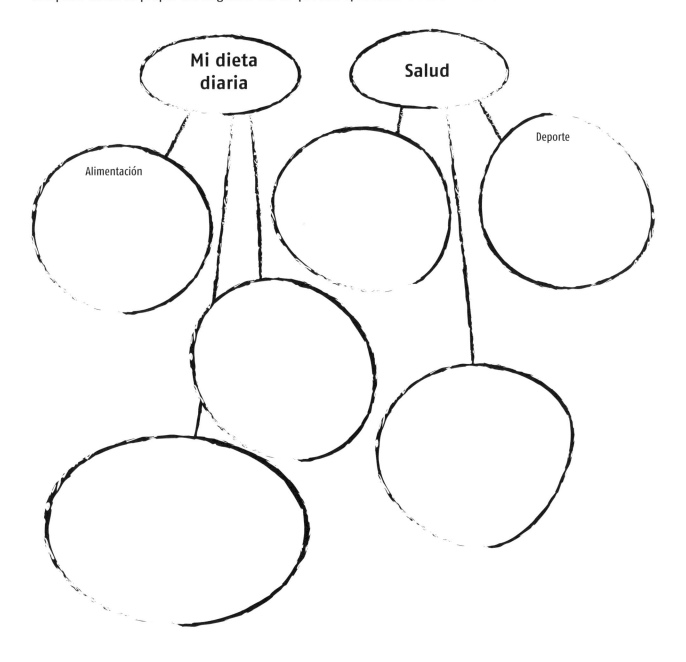

LOS POSESIVOS

Los posesivos átonos

		singular	plural
un poseedor	(yo) (tú) (él, ella, usted)	mi tu su	mis tus sus
varios poseedores	(nosotros/as) (vosotros/as) (ellos/ellas/ustedes)	mi tu su	nuestros/nuestras vuestros/vuestras sus

Los posesivos átonos acompañan a un nombre y nunca llevan un artículo delante.

Mi perra se llama Lulú.

❗ *La mi perra se llama Lulú.*

Los posesivos tónicos

singular		plural	
masculino	femenino	masculino	femenino
mío	mía	míos	mías
tuyo	tuya	tuyos	tuyas
suyo	suya	suyos	suyas
nuestro	nuestra	nuestros	nuestras
vuestro	la vuestra	vuestros	vuestras
suyo	suya	suyos	suyas

Los posesivos tónicos pueden acompañar al sustantivo (detrás de este) o aparecer solos.

Este es Juan, un amigo mío.
¿Esos libros son tuyos?

Los posesivos tónicos también pueden ir acompañados por artículos cuando ya sabemos a qué nos referimos.

¿Estos son nuestros libros o los suyos?
Nuestro hotel no es tan caro como el vuestro.

PRONOMBRES DE OBJETO INDIRECTO

me	te	le	nos	os	les

Los pronombres con función de objeto indirecto (OI) tienen las mismas formas que los de objeto directo (OD) en las personas **yo**, **tú**, **nosotros/as** y **vosotros/as**.

¿Me ha llegado una carta? (OI)
Me han invitado a una fiesta. (OD)

Paula te ha comprado un regalo. (OI)
Ayer te vi por la calle. (OD)

¿Nos habéis preparado la comida? (OI)
¿Nos lleváis al centro en coche? (OD)

Luis os manda recuerdos. (OI)
Marta os quiere mucho. (OD)

Sin embargo, las formas de los pronombres de OD y OI son diferentes en la tercera persona de singular y de plural: **lo/ la/los/las** (OD); **le/les** (OI).

¿Le preparas tú el desayuno a Carlitos? (OI)
Hoy el café lo pago yo. (OD)
Hoy la merienda la pago yo. (OD)

¿Les preparas tú la cena a los niños? (OI)
Hoy los postres los traigo yo. (OD)
Hoy las bebidas la pago yo. (OD)

Cuando hay una combinación de los pronombres de OI + OD, los pronombres **le** y **les** se transforman en **se**.

- ¿Le has comprado el regalo a Susana?
- No, no he podido. Mañana se lo compro sin falta.

- ¿Les dejaste el coche a Carlos y a Eva?
- No, al final se lo dejó el hermano de Carlos.

❗ *le lo compro le lo dejó*

EL IMPERATIVO

	Imperativo afirmativo		
tú	habla	bebe	escribe
usted	hable	beba	escriba
vosotros/as	hablad	bebed	escribid
ustedes	hablen	beban	escriban

El imperativo negativo

Las formas del imperativo negativo coinciden con las del presente de subjuntivo.

	Imperativo negativo		
tú	no hables	no bebas	no escribas
vosotros/as	no habléis	no bebáis	no escribáis
usted	no hable	no beba	no escriba
ustedes	no hablen	no beban	no escriban

PARA + INFINITIVO, PARA QUE + SUBJUNTIVO

Usamos **para** + infinitivo si el sujeto de la oración principal y el de la subordinada son el mismo.

Para dormir mejor (tú), intenta (tú) no comer justo antes de irte a la cama.

Usamos **para que** + subjuntivo si el sujeto de la oración principal y el de la subordinada no coinciden.

Para que tu pelo esté más bonito, usa (tú) champús naturales.

COMPRENSIÓN DE LECTURA **LAS CLAVES DE LA TAREA 5**

EN QUÉ CONSISTE	FORMATO	TIPO DE TEXTO
Se trata de que identifiques el léxico o las estructuras gramaticales para completar textos sencillos.	Consta de 6 ítems a elegir entre 3 opciones A, B o C.	Los textos que se te proponen suelen ser cartas: cartas al director, cartas formales, correos electrónicos personales, etc. Estos textos están relacionados con el ámbito público y personal y la extensión suele ser de unas 150-200 palabras.

Instrucciones

Lee el texto y rellena los huecos (1-6) con la opción correcta (A, B o C).

Marca las opciones seleccionadas en la **Hoja de respuestas**.

Cartas al director

Educación alimentaria

Según los últimos informes sobre alimentación, los ciudadanos de países desarrollados cada vez consumen más la denominada "comida basura" y solo el 4 % de los adultos sigue una dieta equilibrada. Este problema es mayor en niños y jóvenes, de ....1.... que únicamente el 20 % toma verdura y el 62 % consume fruta todos los días. Mientras que los expertos afirman que el desayuno ....2.... aportar el 20 % de los nutrientes que el organismo necesita para la actividad diaria, somos conscientes de que la mayoría de los escolares se conforma con tomar un producto de bollería industrial, que contiene un alto porcentaje de grasas.

....3.... mi opinión, el espacio idóneo para proporcionar información sobre nutrición y fomentar hábitos alimenticios saludables ....4.... la escuela, además de prevenir trastornos como la anorexia y la bulimia, muy frecuentes en la adolescencia.

De igual modo, si la mayoría de los alumnos realiza su comida de mediodía en el colegio, los ....5.... escolares deberían constituir un ejemplo de dieta saludable.

Pero, no solo se debe educar sobre nutrición en la escuela, ...6.... que considero que la familia y el entorno deben asumir su responsabilidad sobre la alimentación de los niños y jóvenes.

Juliana Pozas Sánchez. Madrid.

(Adaptado de: http://comunidad-escolar.cnice.mec.es/723/tribucar.html)

1.	a. el	2.	a. debe	3.	a. Para	4.	a. está	5.	a. cartas	6.	a. sino
	b. los		b. tiene		b. Por		b. es		b. menús		b. pero
	c. –		c. hay		c. En		c. reside		c. platos		c. sin embargo

1	2	3	4	5	6
b	a	c	b	b	a

EXPLICACIÓN DE LAS RESPUESTAS

1-B Se trata de una oración relativa y en estas construcciones cuando delante del pronombre relativo hay una preposición se coloca un artículo determinado. En este caso el artículo corresponde a su antecedente, que es "niños y jóvenes", por lo tanto es "los" y no el singular "el".

2-A En este hueco falta un verbo de obligación, por lo que se puede deducir por el contexto. Podría ser "tener que" o "hay que" pero como después va un infinitivo solo podemos poner "debe", que es un verbo modal al que en su significado de obligación no le sigue ninguna preposición ni conjunción.

3-C La preposición que acompaña a esta construcción para expresar la opinión es "en". También se puede decir "para mí" si se quiere expresar una opinión personal, pero aquí no podría ir porque está el sustantivo "opinión".

4-B En este caso hay que elegir un verbo. El verbo que se pide es "ser" porque lo que se está haciendo es describir e identificar un lugar, en este caso es la escuela.

5-B Se trata de completar la frase con un sustantivo masculino, por lo que las posibilidades son dos, pero "platos" es algo muy específico y por el contexto se necesita un sustantivo más general como "menús", que está relacionado con todos los platos que se pueden ofrecer en una comida.

6-A La frase que sigue después de la coma es una adversativa, por lo que se necesita una conjunción que pueda introducirla. Se proponen tres conjunciones adversativas pero hay que fijarse en que la frase anterior es negativa, por lo que solo se puede poner "sino" ya que contradice la negativa anterior.

En esta tarea, los textos van a ser sencillos y relacionados con temas públicos o personales, por lo que el léxico no será muy complicado. Intenta entender el texto antes de ponerte a completarlo, así tendrás una idea más clara de lo que te están pidiendo.

Las palabras o construcciones que te proponen están relacionadas entre sí. Si por ejemplo en un hueco falta un sustantivo, normalmente las tres propuestas pertenecerán a la misma categoría. Intenta colocar las tres palabras para ver cuál te parece más adecuada o te suena mejor.

Antes de elegir la palabra, mira bien el género o el número de la palabra anterior si se trata de un sustantivo, adjetivo o artículo. Si se trata de un verbo, observa si lleva alguna preposición, estas te pueden ayudar.

Ten en cuenta que esta es la última tarea de la prueba de comprensión de lectura, por lo que normalmente cuando se llega a ella falta muy poco tiempo para que termine la prueba. Controla el tiempo y dale como mínimo 10 minutos en total, para una primera lectura, después completar los huecos y finalmente para poder leerla por última vez y ver si tiene sentido.

COMPRENSIÓN AUDITIVA **LAS CLAVES DE LA TAREA 5**

EN QUÉ CONSISTE	FORMATO	TIPO DE TEXTO
Tienes que entender la información concreta que se da en conversaciones informales entre dos interlocutores.	Consta de 6 ítems discretos a elegir entre 3 opciones de respuesta múltiple.	Escucharás una conversación entre dos personas, que tratarán un tema de ámbito personal y/o público. Su discurso tiene una extensión de 250-300 palabras, es decir, unos dos minutos de grabación.

Instrucciones

Vas a escuchar una conversación entre una vendedora y un cliente. Indica si los enunciados (1-6) se refieren a la vendedora (A), al cliente (B) o a ninguno de los dos (C). Escucharás la conversación dos veces.

Marca las opciones elegidas en la **Hoja de respuestas**.

Ahora tienes 25 segundos para leer los enunciados.

	ENUNCIADOS	VENDEDORA (A)	CLIENTE (B)	NINGUNO (C)
1.	Habla de un billete de avión.			x
2.	El lema de la agencia le ayuda a entender el producto que se ofrece.			x
3.	Habla de un viaje a La Guajira.	x		
4.	No sabe la correspondencia de los dólares en euros.		x	
5.	Dice que no son más de 15 personas en el grupo.	x		
6.	No se sabe cuánto dura el viaje a causa de los problemas que puedan surgir.		x	

TRANSCRIPCIÓN DEL AUDIO

Vendedor: Buenas tardes, señora.

Clienta: Buenas tardes.

Vendedor: Bienvenida a Dinamic Travel, nuestro lema es "Porque usted merece conocerlo todo", ¿en qué puedo ayudarla?

Clienta: Interesante su lema, yo quiero conocerlo todo. Lo que más me gustaría es ir a un sitio exótico.

Vendedor: Tengo para ofrecerle un espectacular viaje a la finca La Guajira, se llama "Encanto y magia natural". El viaje tiene una duración de cinco días y cuatro noches, le aseguro que no se arrepentirá. Además, está pensado para personas que quieren viajar solas.

Clienta: Ah, muy bien. Y ¿cuánto cuesta? Es que no tengo mucho dinero.

Vendedor: Pues cuesta 870 dólares.

Clienta: ¿Cuánto es eso en euros?

Vendedor: A ver, déjeme calcular... Unos 650 euros.

Clienta: Vale. Y ¿qué incluye?

Vendedor: Pues incluye guía, hospedaje, recorridos en La Guajira, transporte, refrigerio e hidratación.

Clienta: Ahá. ¿Y qué es lo que no incluye?

Vendedor: Pues todos los gastos que no están especificados en el plan.

Clienta: Vale, me parece interesante. ¿Me podría decir si el grupo está formado por muchas personas?

Vendedor: Por el momento son solo 10, si usted lo contrata serán 11, pero en ningún caso más de 15 personas.

Clienta: Ah, muy bien. Y ¿me dice, por favor, el itinerario?

Vendedor: Veamos... se sale en guaga de La Habana por la mañana bien tempranito, se llega a La Guajira, pero no sé decirle a qué hora. En La Guajira se pasan cuatro días porque el último día es de regreso a la capital otra vez.

Clienta: Aha. Imagino que la duración del viaje depende de muchos factores, ¿no? Del clima, del tráfico y de muchas cosas.

Vendedor: Sí, sí, claro.

Clienta: Pero... en fin, me parece muy bueno para el precio que tiene. ¿Qué clase de alojamiento es?

Vendedor: Es un hotel de campo, se llaman así porque están en medio de la naturaleza.

Clienta: De acuerdo, entonces me interesa, pero necesito pensármelo un poco.

Vendedor: Me alegra que le haya gustado, si desea, tenga mis datos personales y póngase en contacto conmigo cuando guste. Que esté muy bien.

Clienta: Lo mismo le deseo, le llamaré.

(Adaptado de: http://trabajoswdavidruiz.blogspot.it/2009/02/dos-dialogos-de-vendedor-y-cliente.html)

1	2	3	4	5	6
c	c	a	b	a	b

EXPLICACIÓN DE LAS RESPUESTAS

1-C A lo largo de toda la conversación no se habla nunca de un billete de avión. Se habla de *guagua*, pero eso en Cuba es el autobús. De todas formas, esta palabra aunque no se conozca no crea problemas porque no se hace referencia a ella.

2-C Sobre el lema se dice que es muy interesante. La vendedora lo dice y el cliente añade que es interesante pero ninguno hace un comentario que deje entender que el lema ayuda a comprender algo.

3-A Desde el primer momento es la vendedora la que propone un viaje, el cliente solo comenta que quiere conocer algo exótico de ese país que está visitando.

4-B La vendedora da el precio en la moneda local, que son los pesos cubanos y es la que también hace la conversión pero el que no entiende bien cuál es la correspondencia es el cliente.

5-A Es la vendedora la que aclara el número máximo de los participantes en el viaje. El cliente se quiere informar al respecto.

6-B Aunque podría parecer que es la vendedora la que dé las explicaciones sobre los posibles inconvenientes del viaje, es el cliente el que se imagina esos problemas y los comenta.

Este diálogo siempre se da entre dos personas de diferente sexo para que en la comprensión se entienda quién habla y cuándo. Dos voces del mismo género se podrían confundir. Esto te puede ayudar a localizar la información.

Antes de escuchar la noticia, tienes 25 segundos para leer las seis frases que te proponen, intenta centrar el tema ya desde la lectura de esas frases. Esto te puede ayudar a ver quién dice cada cosa.

Atención con la información que no se menciona. Muchas veces pueden aparecer palabras de las frases que no dice nadie, pero eso no te tiene que confundir. Piensa que la frase tiene que salir de alguna forma en la conversación y si no sale es porque no la dice nadie.

Una pista que te puede ayudar es el rol que cada persona tiene en la conversación. Aquí podría estar claro que la vendedora hace propuestas y el cliente las acepta o rechaza, esto puede ayudar, pero nunca te confíes.

EXPRESIÓN E INTERACCIÓN ESCRITAS **LAS CLAVES DE LA TAREA 1**

Las tareas de expresión e interacción escritas son dos y ya las hemos visto en unidades anteriores. Por lo tanto en esta unidad las vamos a repasar. Aquí vamos a volver a trabajar la Tarea 1.

Instrucciones

Eras un antiguo cliente de un gimnasio que cerró. Ahora lo han reformado y te ha llegado una carta en el que se describe el nuevo gimnasio y todos los servicios que ofrece. Te piden tu opinión sobre tus intereses deportivos y, además, quieren saber si estarías interesado. Respóndeles con un correo electrónico en el que deberás:

– saludar;

– darles la información que solicitan sobre los deportes: los que hacías, los que te interesan en la actualidad, etc.;

– explicar si dejaste de ir antes de que cerrara y por qué o solo cuando cerraron;

– confirmarles si estás interesado o no y por qué;

– despedirte.

Número de palabras: entre 100 y 120.

Estimado amigo:

El nuevo gimnasio Bilbogym abrirá sus puertas en noviembre, sin embargo, durante toda esta semana muchas personas se han interesado por sus cuotas de bajo coste y se han acercado para ver sus instalaciones. Estaríamos interesados en conocer tu opinión. Nos gustaría saber cuánto tiempo fuiste nuestro cliente, qué deportes hacías y si con el paso del tiempo estás interesado en nuevos deportes y por qué. Si estás interesado en nuestro centro, ¿qué es lo que te ha ayudado para decidirte a volver? Sin más, recibe un saludo de todo el equipo de Bilbogym.

El gerente.

EJEMPLO DE PRODUCCIÓN ESCRITA

Hola:

Gracias por poneros en contacto conmigo. La verdad es que sí que estoy interesada en ir al gimnasio y parece que el nuevo centro es muy bueno. Yo iba sobre todo a clases de *spinning* y pilates, pero a veces también iba a la piscina porque me gusta mucho nadar. En el futuro estoy interesada en los nuevos deportes que hay, pero ahora mismo no sé cuál. Yo me fui del anterior centro porque cerraron pero, para mí, ya no funcionaba bien porque estaba todo muy sucio. Como he dicho estoy interesada porque también me han hablado algunos amigos de las nuevas instalaciones. Así que iré en estos días para inscribirme.

Muchas gracias por la información,

Francisca

🔧 Como ves, en el texto de entrada se utiliza la forma "tú". Esto suele pasar en algunas notas o anuncios publicitarios para hacerlos más cercanos al cliente. Así que, tú también puedes utilizar esta forma.

🔧 En el texto de entrada te hacen preguntas concretas, suelen coincidir con las pautas que se te dan en el examen para que elabores tu escrito. Síguelas y así no se te penalizará por haberte saltado algún punto.

🔧 Quizás a ti no te interese el deporte, pero piensa que suele ser un tema muy cotidiano. Aunque tú no practiques ninguno, siempre puedes mencionar aquellos más famosos. Aquí se nombran algunos nuevos, pero siempre se puede acudir al léxico de los deportes tradicionales.

EXPRESIÓN E INTERACCIÓN ORALES **LAS CLAVES DE LA TAREA 3**

EN QUÉ CONSISTE	FORMATO	MATERIAL DE ENTRADA
Describir una fotografía según los puntos que se te indican. Responder posteriormente a las preguntas que se te hagan sobre esta y relacionarla con tu experiencia personal.	Tienes que hacer una presentación de una foto y hablar con el entrevistador sobre esta durante 2 o 3 minutos. Se te proporcionarán dos imágenes, hay que elegir una. No se prepara la presentación previamente.	Fotografía, imagen o soporte gráfico acompañado de unos puntos específicos relacionados con la imagen sobre los que hablar.

Instrucciones

Describe con detalle, durante 1 o 2 minutos, lo que ves en la foto y lo que imaginas que está ocurriendo.

Estos son algunos aspectos que puedes comentar:

➤ las personas: dónde están, cómo son, qué hacen;

➤ el lugar en el que se encuentran: cómo es;

➤ los objetos: qué objetos hay, dónde están, cómo son;

➤ qué relación crees que existe entre estas personas;

➤ qué crees que están diciendo.

Posteriormente, el entrevistador te hará algunas preguntas.

EJEMPLO DE PRODUCCIÓN ORAL

En esta fotografía se puede ver a seis personas. Seguramente es una familia, porque hay una pareja de adultos, de unos cuarenta años, una pareja de señores mayores y un niño y una niña que pueden ser hermanos.

Están sentados a la mesa. Creo que van a empezar a comer porque en la mesa se ven platos de ensalada. También se ve pan y un cuchillo, y un pequeño jarrón con flores que adorna la mesa. Los adultos ya se han servido ensalada y los niños parece que tienen una rebanada de pan con mantequilla. Se pueden ver los vasos, los tenedores y los cuchillos. La mesa es grande y está en medio de un jardín.

Seguramente están hablando sobre cosas de la familia, lo que han hecho durante el día o lo que van a hacer después de comer. La madre y el abuelo están hablando a los niños. Quizá les están diciendo que también tienen que comer un poco de ensalada. En mi casa a la hora de la comida se habla también de películas, de deportes o de noticias.

🔧 En una fotografía donde se refleja una situación familiar puedes utilizar todo el léxico que conozcas y que utilizas en casa. Puedes imaginarte también el comedor de tu casa o a tu familia en un día normal. Eso te ayudará a hablar.

🔧 Como es un monólogo, sigue las pautas que se te proponen y si no te sale alguna palabra no te preocupes, cambia de punto y así podrás seguir hablando sin pararte.

🔧 En un primer momento se trata de que hagas una especie de monólogo, no esperes que el entrevistador te haga preguntas, porque no le corresponde. Si no se te ocurren más cosas y piensas que no has cumplido con el tiempo, compáralo con algo que tenga que ver con tu ámbito personal.

🔧 Habla de tu vida si eso te resulta más fácil, así conseguirás establecer un monólogo coherente y eso ayudará posteriormente al entrevistador a hacerte preguntas más personales.

Exámenes

PRUEBA DE COMPRENSIÓN DE LECTURA

Duración de la prueba: 70 minutos

Número de ítems: 30

TAREA 1

INSTRUCCIONES

Usted va a leer seis textos en los que unas personas hablan de sus profesiones y diez textos que informan sobre diferentes ofertas de trabajo. Relacione a las personas (1–6) con los textos que informan sobre los empleos (A–J). Hay tres textos que no debe relacionar.

*Marque las opciones elegidas en la **Hoja de respuestas**.*

La opción correcta es la **D**.

	A	B	C	D	E	F	G	H	I	J
0.				■						

	PERSONA	TEXTO
0.	Policía	D
1.	Maestro	
2.	Peluquera	
3.	Bombero	
4.	Cantante	
5.	Nadador	
6.	Actriz	

0. Policía

Me encanta mi profesión. Somos muy útiles para la sociedad. Aunque la gente vea que en las manifestaciones podemos ser violentos, yo no soy así. Yo lucho por la paz.

1. Maestro

Mi pasión es trabajar con niños, siempre me ha gustado. Me encanta ver cómo crecen y cómo aprenden rápidamente lo que les enseño.

2. Peluquera

De pequeña siempre veía a mi madre peinarme con muchas ganas y tranquilidad y me encantaba. Así que, desde niña, yo también empecé a peinar a mis amigas.

3. Bombero

La gente cree que nuestro trabajo consiste solo en apagar incendios o rescatar gatos de los árboles, pero no es cierto. También resolvemos otro tipo de emergencias.

4. Cantante

Me gusta que la gente disfrute con lo que compongo. Es como si mi creación ayudara a que los demás fueran más felices.

5. Nadador

Me encanta hacer actividad física de todo tipo, pero cuando estoy dentro de la piscina, siento que es mi verdadero hábitat. Soy campeón en mi especialidad y me gusta superarme siempre.

6. Actriz

La gente cree que tienes que ser guapa para poder tener este trabajo. Y no es verdad. Yo no soy guapa, pero mis papeles los represento muy bien.

OFERTAS DE EMPLEO

A Se necesita docente para cubrir plaza en un colegio público y para impartir clases de educación física y primeros auxilios. Además, es necesario que tenga disponibilidad para cubrir las horas extraescolares dos tardes por semana y que pueda acompañar en las excursiones programadas para los fines de semana.

B Si te encanta el teatro o el cine y quieres ocupar tus horas libres, ven a conocernos, damos cursos gratis y después está casi asegurada la actuación en un musical muy famoso. El curso está dividido en una parte teórica y otra práctica y, además, se hará una gira por toda Argentina.

C El cuerpo antiincendios de la Comunidad Valenciana precisa de voluntarios para la época de verano. Estos se encargarán de asistir a las personas que en verano tengan que desalojar sus casas a causa de los incendios involuntarios y de otros provocados por pirómanos.

D El cuerpo de seguridad nacional oferta mil puestos para diferentes sedes en todo el país. Las vacantes están dirigidas a personas que estén entre los 18-30 años y que tengan experiencia en el trato con personas civiles. Se tendrá en cuenta experiencia previa en el sector.

E En la región de Murcia se han dado últimamente muchos casos de desaparición en las montañas, para ello el cuerpo de protección civil necesita personas con experiencia en rescate especializado en el interior de montañas. Se requieren cursos de espeleología.

F Puestos vacantes en enseñanza superior. Requisitos principales: ser licenciado y no haber sido excluido de una plaza similar anteriormente. Los interesados pueden enviar el currículum al Ministerio de Educación.

G El centro de belleza y cuidados para la salud "Tu imagen" precisa de un profesional que enseñe la técnica del corte y peinado a un grupo de jóvenes motivados para ser grandes estilistas y para trabajar en este mismo centro. Interesados llamen al: 9653012930.

H El club de natación de la ciudad de Alicante convoca su IX travesía a Tabarca, que tendrá lugar el 15 de agosto y saldrá desde la playa de Santa Pola. Los interesados deberán inscribirse antes del 7 de julio en la siguiente dirección: http://www.travesiaanado.com.

I ¿Quieres participar en el programa más interesante de la tele? ¿Quieres ganar mucho dinero y tener un público estupendo? ¿Tu voz es fantástica y quieres que la escuche el mundo entero? Aquí tienes tu oportunidad, manda un mail a ahorasoyfamoso@difunde.es.

J El equipo de fútbol de Córdoba está haciendo un proceso de selección para fichar a un delantero centro con gran experiencia. El contrato tendrá la duración de tres temporadas mínimo. La persona seleccionada deberá superar unas pruebas psicotécnicas.

TAREA 2

INSTRUCCIONES

Usted va a leer un texto sobre la vida de la Malinche, personaje mexicano de la época de los conquistadores. Después, debe contestar a las preguntas (7-12). Seleccione la respuesta correcta (A, B o C).

*Marque las opciones elegidas en la **Hoja de respuestas**.*

La Malinche (1500-1529)

Malinche fue una indígena mesoamericana, intérprete y compañera de Hernán Cortés. Fue una mujer fundamental en el proceso de conquista de México. Nació en 1500, fue hija de un hombre importante del Imperio azteca y su lengua era el náhuatl. Recibió un tratamiento reverencial por su clase social.

Al morir su padre, la madre contrajo matrimonio con otro hombre y de esta unión nació un hijo varón. Aunque ella era la heredera legítima, su madre y su padrastro favorecieron al nuevo bebé. Apartaron de sus vidas a Malinche para que el nuevo niño se convirtiera en heredero único. La pequeña Malinche fue vendida a un grupo de mercaderes. En Tabasco, aprendió la lengua maya propia de la región. Por entonces, Hernán Cortés había llegado a Tabasco con su intérprete, Jerónimo de Aguilar. Este había aprendido el maya después de naufragar y ser esclavizado por los mayas de Yucatán.

El conquistador Hernán Cortés recibió la visita de un grupo enviado por el señor de Potochtlan, quien quiso halagar a los triunfadores con numerosos regalos, entre los cuales había joyas, alimentos y veinte jóvenes esclavas. Las jóvenes fueron repartidas entre los hombres de Cortés, y Malinche fue asignada a Alonso Hernández Portocarrero.

Un día, unos soldados escucharon que Malinche conversaba con una mujer de origen mexica en lengua maya. Cortés la mandó llamar para asegurarse de que hablaba tanto el maya como el náhuatl. El conquistador quedó maravillado, porque con ello tenía resuelto el problema de cómo entenderse con los aztecas, y eso iba de acuerdo con sus planes, el deseo de conocer el reino de Moctezuma y su capital, México-Tenochtitlan. Desde entonces, Malinche se convirtió en la amante de Cortés así como en su intérprete personal.

Cuando Cortés llegó a las regiones de habla náhuatl, ella interpretaba entre el náhuatl y el maya para Aguilar, y este interpretaba entre el maya y el español. Malinche dejó de ser una mujer del servicio sexual y se convirtió en la inseparable compañera de Cortés. Se encargó también de explicar al conquistador la forma de pensar y las creencias de los antiguos mexicanos.

Las relaciones de la joven amante con Cortés fueron muy estrechas, convirtiéndose en su intérprete y consejera. Pronto habló español. En 1523, Malinche tuvo un hijo de Cortés, llamado Martín, el primogénito aunque ilegítimo, a quien Cortés reconoció más tarde. Una vez acabada la conquista, Cortés decidió casarla con uno de sus capitanes, Juan Jaramillo. Por entonces, ya había sido repudiada por Cortés. Se cree que Malinche murió misteriosamente en 1529 aunque quizá fue asesinada para que no declarara en el juicio que se le estaba haciendo a Cortés. Fue la madre simbólica del mestizaje en México.

(Adaptado de http://www.geocities.ws/hernancortesmarco/malinche.html)

7. Según el texto, la Malinche...

a) pertenecía a una familia pobre.

b) era indígena de clase alta.

c) tuvo un padre conquistador.

8. En el texto se dice que unos comerciantes...

a) compraron a la Malinche a su padre.

b) regalaron a la Malinche a Cortés.

c) vivieron en una zona donde se hablaba el maya.

9. Según el texto, la Malinche...

a) hablaba maya porque era su lengua materna.

b) podía hablar con personas de diferentes regiones mexicanas.

c) traducía del maya al español desde un principio.

10. Cortés utilizó a la Malinche...

a) como dama de compañía.

b) como traductora y relaciones públicas.

c) como amante, traductora y conocedora de las diferentes culturas de su país.

11. En el texto se dice que...

a) Cortés quería conocer a Moctezuma.

b) la Malinche estaba muy enamorada de Cortés.

c) Cortés quería a la Malinche para conseguir el poder de la capital mexicana.

12. En el texto se informa de que...

a) Cortés entregó a la Malinche a otro hombre.

b) Cortés asesinó a la Malinche.

c) la muerte de la Malinche está relacionada con un proceso jurídico a Cortés.

TAREA 3

INSTRUCCIONES

Usted va a leer tres textos en los que tres amigos hablan sobre el final de un viaje que hicieron juntos.
Relacione las preguntas (13-18) con los textos (A, B o C).

Marque las opciones elegidas en la *Hoja de respuestas.*

ÁGATA

A. Estuvimos en México, no vimos ni una playa, pero fue un viaje muy interesante. Es cierto que las playas en ese país son estupendas, pero a mí me daba igual, ¿sabes por qué? Porque es un país rico en cultura, monumentos, arte, naturaleza y sobre todo en gente. Son estupendos. Estuvimos en Oaxaca, ¡uf!, al principio no lo sabía ni pronunciar. Es una ciudad, bueno a mí me pareció un pueblo, muy colorida y llena de vida. Fuimos en agosto y coincidimos con unas fiestas populares en las que la gente se viste con trajes regionales. También había un desfile con dragones y muchas cosas que yo no entendía. Allí conocí a las personas más maravillosas de todo el viaje.

ROBERTO

B. Bueno, estuvimos principalmente en Chiapas, después de marcharnos de Oaxaca, decidimos alquilar un coche e ir a la Selva Lacandona. Me fascinó la cantidad de árboles y plantas diferentes, pero había muchos bichos. En la habitación de una especie de hotel, no era un hotel pero es que no había otra cosa, encontré un escorpión en mi maleta. ¡Uf!, lo pasé fatal, me daba miedo sacar mis cosas por si aparecía algo. En general, fue un viaje estupendo, pero yo creo que faltó ir a alguna playa. Es cierto que vi muchas pirámides, en la misma selva hay una, pero la verdad... me habría gustado bañarme y relajarme en alguna de esas playas que se ven en la tele.

EMMA

C. El viaje a México fue terrible. No me gustó nada, hacía un calor inmenso y de repente, por la noche, un frío horrible. Yo no había puesto en la maleta ropa para climas tan diferentes y no sabía cómo vestirme. Llevaba lo imprescindible para ir a la playa, que era lo que yo tenía en mente hacer. Yo pasaba de visitar todas las pirámides mayas del país, a mí con la de Teotihuacán me bastaba, pero no, estuve en más de diez pirámides. Cuando llegamos a Oaxaca pensé que podía convencer a mis amigos para ir a la playa más cercana, pero como había una fiesta popular, ellos no quisieron. Eso sí, me vestí con un traje tradicional fantástico.

		A. Ágata	B. Roberto	C. Emma
13.	¿Qué persona habla positivamente de todo el viaje?			
14.	¿Quién de ellos tenía pensado ir a la playa principalmente?			
15.	¿Quién participó en el desfile disfrazándose?			
16.	¿Quién de ellos tuvo un problema con un bicho?			
17.	¿A quién le costaba decir algunas palabras mexicanas?			
18.	¿A quién le encantó la naturaleza de México?			

TAREA 4

INSTRUCCIONES

Lea el siguiente texto, del que se han extraído seis fragmentos. A continuación lea los ocho fragmentos propuestos (A–H) y decida en qué lugar del texto (19–24) hay que colocar cada uno de ellos. Hay dos fragmentos que no tiene que elegir.

*Marque las opciones elegidas en la **Hoja de respuestas.***

El elefante encadenado

Cuando yo era chico me encantaban los circos, y lo que más me gustaba de los circos eran los animales. ....19................ Durante la función, la enorme bestia hacía despliegue de tamaño, peso y fuerza descomunal... pero después de su actuación y hasta un rato antes de volver al escenario, ...20................

Sin embargo, la estaca era solo un minúsculo pedazo de madera apenas enterrado unos centímetros en la tierra. Y aunque la cadena era gruesa y poderosa me parecía obvio que ese animal capaz de arrancar un árbol de cuajo con su propia fuerza, podría, con facilidad, arrancar la estaca y huir.

El misterio es evidente: ¿Qué lo mantiene entonces? ¿Por qué no huye?

................21................ Pregunté entonces a algún maestro, a algún padre, o a algún tío por el misterio del elefante. Alguno de ellos me explicó que el elefante no escapaba porque estaba amaestrado.

Hice entonces la pregunta obvia:

- Si está amaestrado, ¿por qué lo encadenan?

No recuerdo haber recibido ninguna respuesta coherente.

Con el tiempo me olvidé del misterio del elefante y la estaca... ....22................

Hace algunos años descubrí que por suerte para mí alguien había sido lo bastante sabio como para encontrar la respuesta:

................23................

Cerré los ojos y me imaginé al pequeño recién nacido sujeto a la estaca.

Estoy seguro de que en aquel momento el elefantito empujó, tiró y sudó, tratando de soltarse. Y a pesar de todo su esfuerzo, no pudo. La estaca era ciertamente muy fuerte para él. Juraría que se durmió agotado y que al día siguiente volvió a probar, y también al otro y al que le seguía...

Hasta que un día, un terrible día para su historia, el animal aceptó su impotencia y se resignó a su destino.

................24................

Él tiene registro y recuerdo de su impotencia, de aquella impotencia que sintió poco después de nacer. Y lo peor es que jamás se ha vuelto a cuestionar seriamente ese registro.

Jamás... jamás... intentó poner a prueba su fuerza otra vez.

JORGE BUCAY

(Adaptado de http://www.leonismoargentino.com.ar/RefElefante.htm)

FRAGMENTOS

A. Un elefante recién nacido puede ponerse de pie instantes después de nacer, puede llegar a pesar hasta 260 kilos.

B. El elefante de circo no escapa porque ha estado atado a una estaca parecida desde que era muy, muy pequeño.

C. Este elefante enorme y poderoso, que vemos en el circo, no escapa porque cree –pobre– que no puede.

D. y solo lo recordaba cuando me encontraba con otros que también se habían hecho la misma pregunta.

E. el elefante quedaba sujeto solamente por una cadena que aprisionaba una de sus patas a una pequeña estaca clavada en el suelo.

F. La mayoría de nosotros somos conscientes de las características de los elefantes, e incluso hemos visto uno de ellos en persona.

G. Tanto a mí como a otros, después me enteré, me llamaba la atención el elefante.

H. Cuando tenía cinco o seis años yo todavía confiaba en la sabiduría de los grandes.

TAREA 5

PRUEBA DE COMPRENSIÓN DE LECTURA

INSTRUCCIONES

Lea la siguiente respuesta que da un médico tras la pregunta de un paciente y rellene los huecos (25-30) con la opción correcta (A, B o C).

*Marque las opciones elegidas en la **Hoja de respuestas.***

Pregunta | Sergio Sánchez

Estimado doctor, acabo de ser padre y no consigo dormir porque mi hijo llora constantemente. El problema es que no sé por qué lo hace con tanta frecuencia. ¿Me puede explicar por qué llora un bebé? Muchas gracias, Sergio Sánchez.

Respuesta | Dr. Manrique

Estimado Sr. Sánchez:
La verdad es que me hace una pregunta bastante compleja aunque común. Voy a intentar explicarle mi opinión y la de algunos investigadores. Según los estudios que se han realizado en los últimos años los bebés lloran por enfado o miedo cuando tienen los ojos abiertos y por dolor cuando los mantienen cerrados, según han mostrado investigadores universitarios, ...25.............. estudiar el llanto de 20 bebés de entre 3 y 18 meses de edad.
"El llanto es la principal forma que tienen los bebés de comunicar las emociones negativas y, en la mayor parte de los casos, la única manera que ....26.............. de expresarlas", me comentaba Mariano Chóliz, investigador en la Universidad de Valencia. Según resultados, cuando ....27.............. enfadados la mayoría de los bebés mantienen los ojos medio cerrados, con una mirada aparentemente sin dirección o, por el contrario, fija. En el caso del miedo, los ojos permanecen abiertos casi todo el tiempo, incluso a veces las criaturas mueven la cabeza ....28.............. atrás, y el llanto aparece de forma explosiva.
Además, el trabajo revela que los adultos no identifican adecuadamente qué emoción es la que induce el llanto, especialmente cuando se trata de enfado y miedo. Sin embargo, aunque los observadores no ....29............. reconocer bien la causa, cuando los bebés lloran ....30.............. les duele algo esto provoca en los adultos una reacción afectiva más intensa que cuando lloran por estar enfadados o tener miedo.
Espero que después de esta explicación bastante científica consiga entender de dónde procede el llano de su hijo.
Atentamente,
Dr. Manrique

(Adaptado de http://www.muyinteresante.es/salud/articulo/se-puede-saber-por-que-llora-un-bebe)

OPCIONES

25. a) tras	**26.** a) habían tenido	**27.** a) están	**28.** a) por	**29.** a) supiesen	**30.** a) por que
b) en	b) han habido	b) son	b) hacia	b) saben	b) porque
c) detrás de	c) tienen	c) han	c) de	c) sé	c) por qué

PRUEBA DE COMPRENSIÓN AUDITIVA

Duración de la prueba: 40 minutos

Número de ítems: 30

TAREA 1

 **INSTRUCCIONES**

Usted va a escuchar seis llamadas grabadas en Radio Capital. Escuchará cada llamada dos veces. Después debe contestar a las preguntas (1–6). Seleccione la opción correcta (A, B o C).

*Marque las opciones elegidas en la **Hoja de respuestas.***

Tiene 30 segundos para leer las preguntas.

PREGUNTAS

MENSAJE 1

1. ¿Para qué llama Javi a la radio?

a) Para decir que el lunes no hay clase.

b) Para saludar a sus compañeros de escuela.

c) Porque se ha roto una pierna y se aburre.

MENSAJE 2

2. ¿Qué solicita Reme a Radio Capital?

a) Que le pongan una canción antigua.

b) Que escuchen su mensaje antes del martes a las 20 h.

c) Que recuerden a su madre cuando cantaba una canción.

MENSAJE 3

3. ¿Por qué llama Salvador a la radio?

a) Porque escuchó un anuncio de trabajo y quiere saber de qué se trata.

b) Para pedir que en España haya menos desempleo.

c) Para pedir el número de teléfono de una oferta de empleo.

MENSAJE 4

4. ¿Qué le gustaría saber a este chico?

a) Si para inscribirse tiene que entrar en la página de internet que dieron en el anuncio.

b) Si el viaje es solo para estudiantes de Arquitectura.

c) Las ciudades que se van a visitar.

MENSAJE 5

5. ¿Para qué llama esta chica?

a) Para dar a conocer su gimnasio.

b) Para que en la radio creen una sección para poder anunciarse.

c) Para conseguir trabajo en un gimnasio.

MENSAJE 6

6. ¿De qué habla esta señora?

a) De la creación de un blog de restaurantes.

b) De que hay que consultar su blog para saber cuál es el plato que ha inventado.

c) De que es la primera vez que cuenta una creación suya en Radio Capital.

TAREA 2

 INSTRUCCIONES

Usted va a escuchar un fragmento de un programa de radio. Escuchará la audición dos veces. Después debe contestar a las preguntas (7-12). Seleccione la respuesta correcta (A, B o C).

*Marque las opciones elegidas en la **Hoja de respuestas.***

Tiene 30 segundos para leer las preguntas.

PREGUNTAS

7. En la audición se habla...

a) de los viajes en vuelos baratos.

b) de la experiencia de una pasajera frecuente.

c) de cómo ser feliz viajando.

8. Según la experiencia de esta chica...

a) todos los trabajadores de las compañías aéreas son simpáticos.

b) la ventaja de no facturar la maleta es no perder tiempo.

c) en su maleta hay cosas importantes de las que no se quiere despedir.

9. Con respecto a las colas, la chica...

a) afirma que no son lo peor de los viajes.

b) dice que tiene que hacer dos colas.

c) expresa su malestar.

10. Según lo que se explica en la grabación...

a) la chica comenta que antes de pasar por el arco, se siente como si le robaran.

b) el guarda de seguridad la amenaza.

c) el arco del escáner detecta todos los metales y líquidos.

11. Cuando la chica pasa por el escáner el aparato pita porque...

a) en sus pantalones lleva algo de metal.

b) no se ha quitado las botas.

c) lleva unas bolsitas de plástico en sus pies.

12. La conclusión de esta experiencia según la grabación es que...

a) para todo se tarda poco tiempo.

b) solo se tarda mucho tiempo para embarcar.

c) cada vez hay más complicaciones a la hora de viajar en avión.

TAREA 3

 INSTRUCCIONES

Usted va a escuchar la descripción de 6 aplicaciones interesantes para aprender idiomas. Después debe contestar a las preguntas (13-18). Escuchará las descripciones dos veces. Seleccione la respuesta correcta (A, B o C).

*Marque las opciones elegidas en la **Hoja de respuestas.***

Tiene 30 segundos para leer las preguntas.

PREGUNTAS

13. La primera aplicación de la que se habla...

a) es totalmente fiable.

b) es del mismo creador que la aplicación Angry Birds.

c) ofrece solo cinco lenguas para poder aprender.

14. Busuu es una aplicación que...

a) se limita a establecer contactos por escrito con personas del país de la lengua que estudias.

b) solamente sirve para escribir.

c) te permite entrar en un grupo de hablantes de la lengua que quieres aprender.

15. A esta aplicación se puede acceder...

a) desde cualquier tipo de aparato electrónico.

b) desde teléfonos que tengan el sistema de iPhone.

c) para obtener información acerca de la filosofía de un país.

16. Babel es una aplicación...

a) que ayuda a ampliar principalmente el léxico de la lengua que aprendes.

b) compatible con una versión en internet para conectarte desde tu ordenador.

c) para móviles pero no para otros aparatos electrónicos.

17. Uspeak es una aplicación con la que puedes...

a) acceder a juegos además de a muchas lenguas.

b) divertirte porque vas subiendo de niveles lingüísticos.

c) aprender mientras preguntas y respondes.

18. Dimastu es una de las últimas aplicaciones...

a) que ha creado el dueño de Microsoft.

b) en lengua española más visitada de todos los países.

c) más cuidadosa con todos los aspectos lingüísticos.

TAREA 4

 **INSTRUCCIONES**

Usted va a escuchar a siete personas de diferentes países que hablan de su cultura. Escuchará a cada persona dos veces.

Seleccione el enunciado (A-J) que corresponde al tema del que habla cada persona (19-24). Hay diez enunciados incluido el ejemplo. Seleccione solamente seis.

*Marque las opciones elegidas en la **Hoja de respuestas.***

Ahora escuche el ejemplo:

Ejemplo: | Persona 0: |

La opción correcta es la **A**.

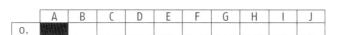

Tiene 20 segundos para leer los enunciados.

	ENUNCIADOS
A.	En su cultura hay un baile conocido internacionalmente y su carne es la mejor.
B.	Las personas son abiertas y honradas.
C.	La gastronomía es conocida en todo el mundo.
D.	Sus playas están muy bien valoradas.
E.	Es un país que baila y que lee.
F.	Sus monumentos no son la mayor riqueza del país.
G.	Tras la riqueza natural, valora el deporte como patrimonio de su país.
H.	Aunque es un país pequeño, tiene figuras de fama internacional.
I.	Tiene mucho turismo europeo.
J.	Sus futbolistas juegan en muchos clubes europeos.

	PERSONA	ENUNCIADO
	Persona 0	A
19.	Persona 1	
20.	Persona 2	
21.	Persona 3	
22.	Persona 4	
23.	Persona 5	
24.	Persona 6	

TAREA 5

INSTRUCCIONES

Usted va a escuchar una conversación entre un padre y su hija. Indique si los enunciados (25–30) se refieren al Padre (A), a la hija (B) o a ninguno de los dos (C). Escuchará la conversación dos veces.

*Marque las opciones elegidas en la **Hoja de respuestas.***

Tiene 25 segundos para leer los enunciados.

		A. Padre	B. Hija	C. Ninguno
0.	Le gusta salir por las noches.		x	
25.	No está de acuerdo con que salga tanto por las noches.			
26.	La fiesta de esta noche es la última.			
27.	Pablo tiene peores notas.			
28.	El examen de matemáticas lo ha aprobado.			
29.	No quiere hablar de Pablo.			
30.	Sale esta noche pero por esta semana se acabó.			

PRUEBA DE EXPRESIÓN E INTERACCIÓN ESCRITAS

Duración de la prueba: 60 minutos

TAREA 1

INSTRUCCIONES

Usted ha visitado el blog de un famoso escritor y ha leído lo siguiente:

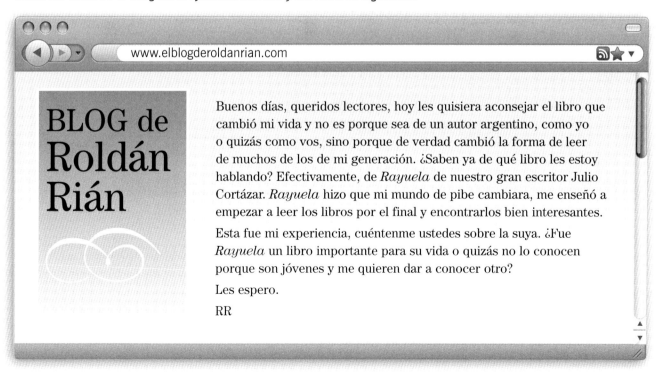

www.elblogderoldanrian.com

BLOG de Roldán Rián

Buenos días, queridos lectores, hoy les quisiera aconsejar el libro que cambió mi vida y no es porque sea de un autor argentino, como yo o quizás como vos, sino porque de verdad cambió la forma de leer de muchos de los de mi generación. ¿Saben ya de qué libro les estoy hablando? Efectivamente, de *Rayuela* de nuestro gran escritor Julio Cortázar. *Rayuela* hizo que mi mundo de pibe cambiara, me enseñó a empezar a leer los libros por el final y encontrarlos bien interesantes.

Esta fue mi experiencia, cuéntenme ustedes sobre la suya. ¿Fue *Rayuela* un libro importante para su vida o quizás no lo conocen porque son jóvenes y me quieren dar a conocer otro?

Les espero.

RR

Escríbale una respuesta a Roldán Rián para responder a sus preguntas. En ella deberá:

– saludar;

– contar si conoce el libro que él aconseja o prefiere otro;

– explicar cuál es el libro que aconseja y por qué;

– aconsejar el último libro que está leyendo;

– despedirse.

Número de palabras: entre 100 y 120.

Para:

Asunto:

TAREA 2

INSTRUCCIONES

Elija solo una de las dos opciones que se le ofrecen a continuación:

OPCIÓN 1

Lea el siguiente correo que le ha mandado una amiga:

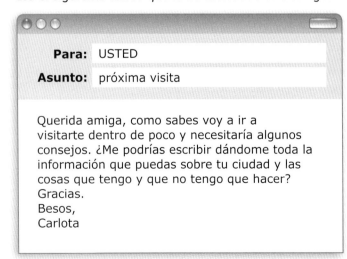

Para: USTED

Asunto: próxima visita

Querida amiga, como sabes voy a ir a visitarte dentro de poco y necesitaría algunos consejos. ¿Me podrías escribir dándome toda la información que puedas sobre tu ciudad y las cosas que tengo y que no tengo que hacer? Gracias.
Besos,
Carlota

Escriba una respuesta en la que:

– salude a su amiga;

– cuente cuáles son las cosas interesantes de su ciudad y por qué;

– diga qué le desaconseja que haga;

– indique cuáles son los medios de transporte más aconsejables;

– le proponga verse en algún momento de su visita;

– se despida.

Número de palabras: entre 130 y 150.

OPCIÓN 2

Lea el siguiente anuncio que aparece en el periódico local de hoy:

CONCURSO DE COCINA

Como todos los años, la asociación de vecinos de la zona centro abre el concurso de mejor plato personal e invita a todos los que lo deseen a participar en el mismo. Para que los participantes se puedan inscribir tienen que mandar una breve presentación del plato que presentarán al concurso.

Redacte un texto para responder a este anuncio e inscribirse en el que deberá:

– presentarse;

– describir cuál es su plato elegido: ingredientes y si se aplica alguna variación;

– explicar cómo se puede cocinar y cómo se sirve;

– decir por qué cree que ganará el concurso.

Número de palabras: entre 130 y 150.

Para:

Asunto:

PRUEBA DE EXPRESIÓN E INTERACCIÓN ORALES

Duración de la prueba: 15 minutos + 15 minutos de preparación

TAREA 1

INSTRUCCIONES

Le proponemos dos temas con algunas indicaciones para preparar una exposición oral. Elija uno de ellos.

Tendrá que hablar durante 2 o 3 minutos sobre el tema elegido. El entrevistador no intervendrá en esta parte de la prueba.

Duración aproximada de la prueba: 2-3 minutos

EJEMPLO DE TEMA

¿A qué dedica su tiempo libre? Hable de lo que le gusta hacer y explique por qué.

Incluya información sobre:

- qué tipo de actividad prefiere; por qué es su preferida y por qué cree que es en lo que mejor puede emplear su tiempo;
- cuándo fue la primera vez que hizo esta actividad y dónde la hizo;
- cuáles son las ventajas y desventajas de hacerla y por qué;
- qué piensa la gente sobre este tipo de actividad y por qué cree que piensan así.

No olvide:

- diferenciar las partes de su exposición: introducción, desarrollo y conclusión final;
- ordenar y relacionar bien las ideas;
- justificar sus opiniones y sentimientos.

TAREA 2

INSTRUCCIONES

Cuando haya terminado su exposición (Tarea 1), usted deberá mantener una conversación con el entrevistador sobre el mismo tema durante 3 o 4 minutos.

Duración aproximada de la prueba: 3-4 minutos

EJEMPLOS DE PREGUNTAS DEL ENTREVISTADOR:

- ¿Usted suele tener bastante tiempo libre? ¿Cuánto? ¿Cuándo?
- ¿Cree que el tiempo libre es fundamental en la vida de una persona? ¿Por qué?
- Si dispusiera de más de tres tardes de tiempo libre, ¿qué haría que en la actualidad le resulta imposible? ¿Por qué?

TAREA 3

INSTRUCCIONES

Le proponemos dos fotografías para esta tarea. Elija una de ellas y obsérvela con detalle.

Duración aproximada de la prueba: 2-3 minutos

FOTOGRAFÍA 1:

Describa con detalle, durante 1 o 2 minutos, lo que ve en la foto y lo que imagina que está ocurriendo.

Estos son algunos aspectos que puede comentar:

- Las personas: dónde están, cómo son, qué hacen.

- El lugar en el que se encuentran: cómo es.

- Los objetos: qué objetos hay, dónde están, cómo son.

- Qué relación cree que existe entre estas personas.

- ¿De qué cree que están hablando?

Posteriormente, el entrevistador le hará algunas preguntas.

EJEMPLOS DE PREGUNTAS DEL ENTREVISTADOR:

- ¿Ha tenido clase en algún lugar parecido al de la imagen? / ¿Conoce usted algún lugar parecido al de la imagen?

- ¿Cómo es? ¿Cómo han sido sus clases normalmente? ¿Cómo cree que es el trabajo en un lugar así?

- ¿Le gustaría tener clase en algún lugar parecido? ¿Por qué? / ¿Por qué no?

- ¿Qué estudia usted? ¿Qué le gustaría estudiar en el futuro?

FOTOGRAFÍA 2:

Describa con detalle, durante 1 o 2 minutos, lo que ve en la foto y lo que imagina que está ocurriendo.

Estos son algunos aspectos que puede comentar:

- Las personas: dónde están, cómo son, qué hacen.
- El lugar en que se encuentran: ¿cómo es?
- ¿Qué relación cree que existe entre estas personas?
- ¿De qué cree que están hablando?

Posteriormente, el entrevistador le hará algunas preguntas.

EJEMPLOS DE PREGUNTAS DEL ENTREVISTADOR:

- ¿Esta clase se parece a la clase a la que usted iba cuando tenía la misma edad que los niños de la foto? ¿Qué diferencias encuentra?
- ¿Cree que en su país ha cambiado mucho el sistema educativo desde que usted iba al colegio?
- ¿Qué cambiaría del sistema educativo actual de su país?

TAREA 4

PRUEBA DE EXPRESIÓN E INTERACCIÓN ORALES

INSTRUCCIONES

Usted debe dialogar con el entrevistador en una situación simulada durante dos o tres minutos.

Duración aproximada de la prueba: 2-3 minutos

EJEMPLO DE SITUACIÓN

Usted compró hace un mes unas entradas para el teatro para hoy, las compró por internet.

Hoy es el espectáculo pero resulta que usted por trabajo tiene que irse fuera de la ciudad. En la compra por internet se anunciaba que se podía cambiar el día del espectáculo pero no se realizaba la devolución del dinero. Usted puede ir la semana que viene.

Imagine que el entrevistador es el empleado que trabaja en la taquilla del teatro. Hable con él siguiendo estas indicaciones:

Durante la conversación con el empleado del teatro usted debe:

- indicarle cuándo compró las entradas y cómo lo hizo;
- explicarle cuál es el problema;
- pedirle que se las cambie por otro día dado que en internet se daba como posible este cambio;
- quejarse si no quiere cambiárselas y pedirle otra solución.

EJEMPLOS DE PREGUNTAS DEL ENTREVISTADOR:

- Hola, buenos días. ¿En qué puedo ayudarle?
- ¿Y cuándo dice que compró las entradas? Por internet es otro sistema...
- Ah, sí, aquí veo la compra. Pues vamos a ver... Dígame cuál es el problema.

PRUEBA DE COMPRENSIÓN DE LECTURA

Duración de la prueba: 70 minutos

Número de ítems: 30

TAREA 1

INSTRUCCIONES

Usted va a leer seis textos en los que unas personas hablan de los deportes que les gustan y diez textos que hablan de diferentes tipos de prácticas deportivas. Relacione a las personas (1–6) con los textos que hablan sobre deportes (A–J). Hay tres textos que no debe relacionar.

*Marque las opciones elegidas en la **Hoja de respuestas**.*

	PERSONA	ENUNCIADO
0.	Evaristo	J
1.	Aitor	
2.	Cristina	
3.	Jorge	
4.	Olga	
5.	Eva	
6.	Daniel	

3. Jorge

Los deportes de invierno me encantan desde que era pequeño, en esa época del año intento ir a la montaña casi cada fin de semana con mis amigos.

0. Evaristo

Soy un gran aficionado al mar. Me encanta cualquier tipo de actividad que se pueda realizar en la costa, especialmente el buceo y la navegación.

4. Olga

Tengo ganas de ir al gimnasio y hacer alguna actividad para mantenerme en forma y perder un poco de peso. Antes iba a menudo pero lo dejé y me gustaría volver.

1. Aitor

Siempre me han encantado las culturas orientales y también me gusta mucho practicar cualquier tipo de deporte.

5. Eva

Me encantan los animales y el deporte y creo que es una actividad perfecta para mí porque combina las dos cosas.

6. Daniel

Quiero descubrir nuevos parajes naturales junto con mi mujer y mis dos hijos, de 9 y 12 años. Nos apasionan la naturaleza y las actividades al aire libre.

2. Cristina

Me encanta salir a la montaña pero pasear me aburre un poco, necesito un poco más de acción.

PRACTICA DEPORTE EN VILLASANA

A. NATACIÓN

Aprovecha la nueva piscina municipal con los cursos de natación y las clases de gimnasia acuática o forma parte del equipo de waterpolo. No importa la edad que tengas, en la piscina encontrarás una actividad a tu medida.

B. FÚTBOL

¿Quieres formar parte de nuestro club? El Club de Fútbol Villasana, con más de cuarenta años de historia, organiza para todos sus aficionados la primera liga de fútbol para empresas locales.

C. SENDERISMO

¿Te gusta la naturaleza? Apúntate a las excursiones que organiza la Asociación de Excursionistas cada primer domingo de mes. Salidas para toda la familia para descubrir los fabulosos bosques de nuestro entorno.

D. AERÓBIC

¿Quieres eliminar esos kilos de más que nunca consigues sacarte de encima? Ven a las clases de aeróbic del gimnasio municipal y ponte en forma de una forma sencilla y divertida.

E. EQUITACIÓN

¿Alguna vez has practicado equitación? El Club La Ponderosa ofrece la posibilidad de realizar un curso de ocho horas de iniciación de forma totalmente gratuita. Plazas limitadas.

F. ESQUÍ

El Club de Esquí Villasana organiza salidas a Sierra Nevada cada fin de semana entre diciembre y febrero ofreciendo la posibilidad de realizar cursos de esquí y *snowboard* de todos los niveles.

G. JUDO

¿Te gustan las artes marciales? ¿Quieres practicar un deporte con más de cien años de historia? Con el judo aprenderás a defenderte y, al mismo tiempo, mejorarás tu forma física.

H. CICLISMO DE MONTAÑA

Descubre una nueva forma de practicar deporte en un entorno natural con nuestras excursiones en bicicleta de montaña por la sierra. Salidas cada domingo por la mañana.

I. PARACAIDISMO

¿Alguna vez has soñado con volar como un pájaro? Si lo que te gusta es el riesgo y la aventura y no tienes miedo a las alturas este es tu deporte.

J. VELA

Aprende a navegar de forma segura con nuestros amigos del Club de Vela Villasana, cursos dirigidos a niños y jóvenes de entre 8 y 16 años. Plazas limitadas.

TAREA 2

INSTRUCCIONES

Usted va a leer un texto sobre la historia del café. Después, debe contestar a las preguntas (7–12). Seleccione la respuesta correcta (A, B o C).

Marque las opciones elegidas en la **Hoja de respuestas**.

LA HISTORIA DEL CAFÉ

No sabemos exactamente cuándo se descubrió el café por primera vez, pero los arqueólogos han encontrado evidencias de uso del café como medicina en el mundo árabe en escritos antiguos de alrededor del año 900 a. C.

Una leyenda popular atribuye el descubrimiento del café a un cabrero etíope llamado Kaldi (en torno al año 300 d. C.). Este observó que su rebaño estaba muy activo cuando los animales comían ciertas bayas rojas. Decidió probarlas y descubrió el efecto energético de las semillas del café. Poco a poco se fue difundiendo el hábito de usar las semillas del café como alimento energético y la gente aprendió que se podía preparar una bebida sabrosa tostando las bayas e hirviéndolas posteriormente.

El uso del café se extendió desde Etiopía al Cercano Oriente pero fue a principios del siglo XVII cuando el café se hizo popular en Europa, y su popularidad creció muy rápidamente. A comienzos de 1600 surgieron casas de café por todas partes, especialmente en Italia, Francia, Gran Bretaña, Los Países Bajos y Alemania. Pronto las casas de café se hicieron muy populares, y la más Antigua, el Caffé Florian, ha estado ofreciendo esta preciada bebida hasta la actualidad bajo los porches de la Plaza de San Marcos. En Italia, entre los aristócratas, el café se convirtió rápidamente en un preciado regalo que se ofrecía como símbolo de amistad o de amor.

El primer electrodoméstico para preparar café en casa se inventó en 1691 en Nápoles: la famosa *caffettiera napoletana*. La gente utilizaba aquella "herramienta" metálica, agua clara y de 4 a 5 gramos de café bien molido para preparar tres o cuatro tazas de café a la vez, y disfrutaban de esta bebida en casa: pronto tomar una aromática taza de café después de la comida se convirtió en un ritual en Italia.

El café *espresso* se combinó con otros ingredientes; las bebidas basadas en el café más famosas tienen nombres italianos: *Espresso, Cappuccino, Macchiato*. A lo largo de los siglos Italia se ha convertido en el embajador oficial de la filosofía del *Espresso*.

Actualmente Italia se sitúa a la cabeza en cuanto a las actividades de importación y exportación de café, y algunos de los tostadores de café más importantes y apreciados del mundo son italianos.

Ya sea en la vida cotidiana, en el trabajo o durante nuestro tiempo libre, siempre encontramos el momento adecuado para sumergirnos en este pequeño gran placer. Así que, ¿tomamos un café?

Adaptado de: http://www.nwglobalvending.es/products-brands/history-of-coffee

PREGUNTAS

7. Según el texto, en el año 900 a.C...

a) se descubrió el café.

b) ya se consumía café.

c) los arqueólogos encontraron restos de café.

8. Una antigua leyenda explica que los efectos del café...

a) eran conocidos en el antiguo Egipto.

b) son negativos para las cabras.

c) los descubrió un cabrero etíope.

9. La gente preparaba la bebida...

a) mezclando las bayas con otros productos.

b) tostando y cociendo las bayas en agua.

c) moliendo las bayas.

10. El café se popularizó en Europa...

a) recientemente.

b) hace más de cuatro siglos.

c) en la Edad Media.

11. A finales del siglo XVII se inventó...

a) un utensilio para preparar café.

b) un sistema nuevo de recolección de granos de café.

c) un nuevo tipo de café.

12. Italia se ha convertido en...

a) el mayor consumidor de café del mundo.

b) el líder mundial en el comercio de café.

c) el mayor productor de café de Europa.

TAREA 3

INSTRUCCIONES

Usted va a leer tres textos en los que tres personas nos hablan de sus últimas vacaciones. Relacione las preguntas (13-18) con los textos (A, B o C).

*Marque las opciones elegidas en la **Hoja de respuestas.***

MARTA

A. El verano pasado hicimos una ruta por Italia, hacía mucho tiempo que queríamos ir allí con los niños porque es un país que nos fascina. Alquilamos una furgoneta y, mi marido, mis dos hijos y yo, recorrimos toda Italia desde Milán hasta Nápoles. Visitamos grandes ciudades como Milán, Roma, Florencia, Nápoles... pero pasamos más tiempo en pequeños pueblos perdidos, sobre todo en la Toscana, y nos alojamos en casas de turismo rural. Además de ser barato es fantástico para los niños porque tienen espacio para jugar y también se puede hacer excursiones en bicicleta que es algo que nos encanta. La verdad es que fueron tres semanas fantásticas.

IVÁN

B. A mí lo que más me gusta es visitar países exóticos. El mes pasado estuve en Japón, hacía tiempo que quería ir y al final compré un billete de avión para mi novia y otro para mí y estuvimos allí quince días. Estuvimos en algunas de las principales ciudades (Kobe, Kyoto, Osaka y Tokio). Nos encantó la comida y nos sorprendió mucho la educación y la amabilidad de la gente. El único problema que tuvimos fue el idioma porque aunque nosotros hablamos inglés, en Japón hay mucha gente que no lo habla, pero nos hacíamos entender por señas o con dibujos.

SARA

C. Para mí la palabra 'vacaciones' es un sinónimo de playa y relax. Lo que me gusta es tumbarme al sol y no hacer nada. Bueno sí, puedo leer, nadar, tomar un aperitivo en el chiringuito... pero nada de ir a visitar ciudades y pasar el día caminando de arriba abajo. La única actividad que hago durante las vacaciones es salir por la noche con mis amigos a cenar y a tomar unas copas. La verdad es que no recuerdo haber pasado unas vacaciones lejos del mar, siempre he ido a destinos de costa tanto en Costa Rica, mi país, como en el extranjero.

		A. Marta	B. Iván	C. Sara
13.	¿Qué persona tuvo problemas de comunicación en el país que visitó?			
14.	¿Quién alquiló algún tipo de transporte para viajar?			
15.	¿A qué persona le encantó la gastronomía del país que visitó?			
16.	¿Cuál de ellos cree que el turismo rural es bueno para viajar con niños?			
17.	¿Quién prefiere descansar durante las vacaciones?			
18.	¿Qué persona nunca pasa sus vacaciones en el interior?			

TAREA 4

INSTRUCCIONES

Lea el siguiente texto, del que se han extraído seis fragmentos. A continuación lea los ocho fragmentos propuestos (A–H) y decida en qué lugar del texto (19-24) hay que colocar cada uno de ellos. Hay dos fragmentos que no tiene que elegir.

*Marque las opciones elegidas en la **Hoja de respuestas.***

La bicicleta

La bicicleta es un vehículo de transporte personal de propulsión humana, es decir, por el propio viajero. Sus componentes básicos son dos ruedas, generalmente de igual diámetro y dispuestas en línea, un sistema de transmisión a pedales, un cuadro metálico que le da la estructura e integra los componentes, un manillar para controlar la dirección y un sillín para sentarse. ....19................

La paternidad de la bicicleta se le atribuye al barón Karl von Drais, un inventor alemán que nació en 1785. ....20................ En la actualidad hay alrededor de 800 millones de bicicletas en el mundo (la mayor parte de ellas en China), bien como medio de transporte principal o bien como vehículo de ocio.

Es un medio de transporte sano, ecológico, sostenible y muy económico, tanto para trasladarse por ciudad como por zonas rurales. Su uso está generalizado en casi toda Europa, siendo en países como Suiza, Alemania, los Países Bajos, algunas zonas de Polonia y los países escandinavos uno de los principales medios de transporte. ....21................

Las bicicletas fueron muy populares en la década de 1890 y en los años 50 y 70, y ahora su uso nuevamente ha venido a crecer considerablemente en todo el mundo.

...............22................ . Esta «máquina andante» consistía en una especie de carrito de dos ruedas, colocadas una detrás de otra, y un manillar. ....23................ . Para moverse, se empujaba alternativamente con el pie izquierdo y el derecho hacia adelante, en forma parecida al movimiento de un patinador. Esta máquina, denominada inicialmente "draisiana" en honor a su inventor y posteriormente llamada más comúnmente velocípedo", evolucionó rápidamente.

La construcción de la primera bicicleta con pedales se atribuye al escocés Kirkpatrick Macmillan, en el año 1839. ....24................ Macmillan nunca patentó el invento, que posteriormente fue copiado en 1846 por Gavin Dalzell de Lesmahagow, quien lo difundió tan ampliamente que fue considerado durante cincuenta años el inventor de la bicicleta.

(Adaptado de http://es.wikipedia.org/wiki/Bicicleta)

FRAGMENTOS

A. Su rudimentario artefacto, creado alrededor de 1817, se impulsaba apoyando los pies alternativamente sobre el suelo.

B. Las nuevas tecnologías han convertido a estos dispositivos en algo imprescindible.

C. En Asia, especialmente en China y la India, es el principal medio de transporte.

D. Una copia de la bicicleta de Macmillan se exhibe en el Museo de Ciencias en Londres, Inglaterra.

E. Muchos usuarios de la bicicleta italianos protestan por la falta de carriles bici en sus ciudades.

F. El diseño y configuración básicos de la bicicleta ha cambiado poco desde el primer modelo de transmisión de cadena desarrollado alrededor de 1885.

G. La persona se mantenía sentada sobre una pequeña montura, colocada en el centro de un pequeño marco de madera.

H. En 1817, el barón alemán Karl Christian Ludwig Drais von Sauerbronn inventó el primer vehículo de dos ruedas, al que llamó "máquina andante" (en alemán, *Laufmaschine*), precursora de la bicicleta y la motocicleta.

TAREA 5

PRUEBA DE COMPRENSIÓN DE LECTURA

INSTRUCCIONES

Lea el texto y rellene los huecos (25-30) con la opción correcta (A, B o C).

Marque las opciones elegidas en la **Hoja de respuestas.**

Cartas al director

No pasa un día sin que me ......25...... la televisión en nuestro país, y no me refiero a los interminables cortes publicitarios que ocupan gran parte de la cuota de pantalla, ni a la pésima calidad de la mayoría de nuestros programas, sino a la poca importancia que ......26...... damos a los programas infantiles.

......27...... una década, los niños se maravillaban con el pato Donald o los Picapiedra, pero ......28...... no es así, permitimos que vean programas ambientados en institutos en los cuales el mayor problema de sus protagonistas es ser los más populares, los más guapos y los mejor vestidos. Estamos creando una generación atormentada por no ser ni tan agraciada ni tan aceptada como los personajes que tanto idolatran. Les estamos volviendo superficiales, débiles, en vez de reforzar las bases de sus mentes para que, en un futuro, ...29...... el coraje necesario para afrontar las dificultades que la vida les pondrá ......30...... su camino.

OPCIONES

25.	**26.**	**27.**	**28.**	**29.**	**30.**
a) sorprende	a) les	a) Hacía	a) todavía	a) tendrán	a) en
b) sorprenda	b) le	b) Hacen	b) también	b) tengan	b) para
c) sorprenderá	c) los	c) Hace	c) ya	c) tienen	c) de

PRUEBA DE COMPRENSIÓN AUDITIVA

Duración de la prueba: 40 minutos

Número de ítems: 30

TAREA 1

 **INSTRUCCIONES**

Usted va a escuchar seis mensajes breves. Escuchará cada mensaje dos veces. Después debe contestar a las preguntas (1-6). Seleccione la opción correcta (A, B o C).

*Marque las opciones elegidas en la **Hoja de respuestas.***

Tiene 30 segundos para leer las preguntas.

PREGUNTAS

MENSAJE 1

1. Con la Tarjeta Plus los clientes del centro comercial tienen...

    a) descuento en ropa infantil.
    b) algunas ventajas.
    c) comida gratis.

MENSAJE 2

2. Dani le dice a Marta que hoy...

    a) no va a ir a nadar.
    b) no puede acudir a una cita.
    c) está enfermo.

MENSAJE 3

3. Según el mensaje, el vuelo a Miami...

    a) se retrasa hasta las seis.
    b) no va a salir por problemas técnicos.
    c) va a salir puntualmente.

MENSAJE 4

4. El restaurante Los Palillos...

    a) ofrece un menú cada día.
    b) lleva mucho tiempo abierto.
    c) hace descuentos a grupos.

MENSAJE 5

5. La chica que llama volverá a casa...

    a) después de cenar.
    b) mañana.
    c) un poco más tarde.

MENSAJE 6

6. El chico que llama tiene...

    a) una reunión importante.
    b) una comida de negocios.
    c) una cita con el doctor.

TAREA 2

 INSTRUCCIONES

Usted va a escuchar un fragmento del programa de radio Esta es mi vida, donde los oyentes cuentan experiencias personales. Escuchará la audición dos veces. Después debe contestar a las preguntas (7-12). Seleccione la respuesta correcta (A, B o C).

*Marque las opciones elegidas en la **Hoja de respuestas.***

Tiene 30 segundos para leer las preguntas.

PREGUNTAS

7. En la audición Juana cuenta que se fue a Italia...

a) porque su novio era italiano.
b) en busca de un mejor futuro laboral.
c) para abrir un negocio.

8. Decidió instalarse en Florencia porque...

a) es una ciudad muy cosmopolita.
b) es una gran amante del arte.
c) allí vivía una amiga suya.

9. Para Juana la cultura italiana...

a) es muy parecida a la suya.
b) tiene aspectos que no entiende del todo.
c) es la cultura más rica que ha conocido.

10. La búsqueda de trabajo...

a) fue mucho más larga de lo previsto.
b) duró poco.
c) fue su peor experiencia.

11. Al principio de estar en Italia a Juana le sorprendió...

a) el precio del café en los bares.
b) que mucha gente cogiera el taxi para ir a trabajar.
c) la forma de vestir tan informal de los italianos.

12. Juana piensa que...

a) no se arrepiente de haber abandonado su país.
b) toda su familia debería ir a vivir a Italia.
c) nunca volverá a Argentina.

TAREA 3

 **INSTRUCCIONES**

Usted va a escuchar seis noticias radiofónicas. Escuchará la audición dos veces. Después debe contestar a las preguntas (13-18). Seleccione la respuesta correcta (A, B o C).

*Marque las opciones elegidas en la **Hoja de respuestas.***

Tiene 30 segundos para leer las preguntas.

PREGUNTAS

13. La feria de turismo FITUR...

a) se celebra en diferentes ciudades españolas.
b) dura cuatro días.
c) la inaugura el alcalde de Madrid.

14. La reunión de ministros...

a) tratará el tema del paro.
b) contará con todos los diplomáticos de la UE.
c) se celebra en Berlín.

15. El accidente...

a) ha ocurrido en el centro de una ciudad.
b) no ha sido grave.
c) ha sido causado por la mala climatología.

16. El dinosaurio descubierto...

a) se encontraba en Japón.
b) pesaba más de 60 toneladas.
c) estaba en los actuales Estados Unidos.

17. La liga de fútbol vuelve...

a) después de las vacaciones de verano.
b) con un partido en Sevilla.
c) con un partido de fútbol de 20 horas.

18. La nueva película de Julio Medel...

a) se presenta en Barcelona.
b) habla sobre el mundo del teatro.
c) está interpretada únicamente por chicas.

TAREA 4

 INSTRUCCIONES

Usted va a escuchar a siete personas hablando sobre qué lugares para vivir y qué tipo de viviendas prefieren. Escuchará a cada persona dos veces.

Seleccione el enunciado (A–J) que corresponde al tema del que habla cada persona (19–24). Hay diez enunciados incluido el ejemplo. Seleccione solamente seis.

Marque las opciones elegidas en la **Hoja de respuestas.**

Ahora escuche el ejemplo:

Ejemplo: | Persona 0:

La opción correcta es la **E.**

	A	B	C	D	E	F	G	H	I	J
0.					■					

Tiene 20 segundos para leer los enunciados.

	ENUNCIADOS
A.	Le encanta el ambiente rural.
B.	Siempre ha vivido en el desierto.
C.	Nunca abandonará su pueblo.
D.	No podría vivir lejos de la ciudad.
E.	Le gusta estar cerca del mar.
F.	Le gustan los pisos pequeños.
G.	Vive en una casa grande y lujosa.
H.	Hace años que vive en hoteles.
I.	No le gusta estar mucho tiempo en un mismo lugar.
J.	Le gusta vivir en una isla.

	PERSONA	ENUNCIADO
	Persona 0	E
19.	Persona 1	
20.	Persona 2	
21.	Persona 3	
22.	Persona 4	
23.	Persona 5	
24.	Persona 6	

TAREA 5

 INSTRUCCIONES

Usted va a escuchar una conversación entre una pareja, Néstor y Enara. Indique si los enunciados (25–30) se refieren a Néstor (A), a Enara (B) o a ninguno de los dos (C). Escuchará la conversación dos veces.

Marque las opciones elegidas en la **Hoja de respuestas.**

Tiene 25 segundos para leer los enunciados.

		A. Néstor	B. Enara	C. Ninguno
0.	Su contrato laboral se acaba en octubre.	x		
25.	Está cansado de viajar siempre por Europa.			
26.	Prefiere gastar sus ahorros en un coche nuevo.			
27.	Está preocupado/a por el futuro.			
28.	Lleva mucho tiempo ahorrando.			
29.	Quiere viajar con Marcos.			
30.	Siempre ha querido visitar Asia.			

PRUEBA DE EXPRESIÓN E INTERACCIÓN ESCRITAS

Duración de la prueba: 60 minutos

TAREA 1

INSTRUCCIONES

Usted ha recibido un correo electrónico de un amigo:

Hola, ¿qué tal? Te escribo porque el otro día me pediste ayuda para preparar la fiesta de aniversario de Luis. Tenemos que preparar una gran fiesta pero es muy importante que Luis no sepa nada. Quiero que me expliques en qué tipo de fiesta habías pensado, así puedo empezar a ver qué podemos hacer.
¿Quieres venir este fin de semana a cenar a mi casa un día y concretamos los detalles? Ya me dirás algo.
Hasta pronto,
Andrés

Escríbale un correo electrónico a Andrés. En él deberá:

- *saludar;*
- *explicar qué personas quiere que asistan a la fiesta;*
- *decir qué tipo de celebración había pensado (lugar, música, comida...);*
- *hablar sobre el regalo que había pensado comprar;*
- *despedirse.*

Número de palabras: entre 100 y 120.

TAREA 2

INSTRUCCIONES

Elija solo una de las dos opciones que se le ofrecen a continuación:

OPCIÓN 1

Lea el siguiente mensaje publicado en una revista de viajes:

'Viajamás'

presenta una nueva edición de su concurso 'El viaje de mi vida'. Necesitamos la colaboración de nuestros lectores. Escribidnos contando cuál sería vuestro viaje ideal. Entre todos los correos recibidos sortearemos una vuelta al mundo para dos personas.

Escriba un correo electrónico a la revista en el que explique:

- *qué países quiere visitar;*
- *con quién le gustaría viajar;*
- *qué actividades le gustaría realizar a lo largo del viaje.*

Número de palabras: entre 130 y 150.

OPCIÓN 2

Lea el siguiente mensaje aparecido en la página web de su antigua escuela:

ESCUELA SAN FERNANDO

ASOCIACIÓN DE ANTIGUOS ALUMNOS

Con motivo de la preparación del centenario de la escuela buscamos testimonios que expliquen cómo fue su experiencia en nuestro centro. Pueden participar escribiendo a la siguiente dirección de correo electrónico: info@sanfernando.es

Redacte un texto en el que deberá:

- *presentarse;*
- *hablar de su experiencia personal en la escuela;*
- *proponer alguna actividad para celebrar el aniversario del centro.*

Número de palabras: entre 130 y 150.

PRUEBA DE EXPRESIÓN E INTERACCIÓN ORALES

Duración de la prueba: 15 minutos + 15 minutos de preparación

TAREA 1

INSTRUCCIONES

Le proponemos dos temas con algunas indicaciones para preparar una exposición oral. Elija uno de ellos. El entrevistador no intervendrá en esta parte de la prueba.

Duración aproximada de la prueba: 2-3 minutos

EJEMPLO DE TEMA

Hable sobre el transporte público y el transporte privado.

Incluya información sobre:
- las ventajas e inconvenientes de ambos medios de transporte;
- sus medios de transporte favoritos;
- el uso de los medios de transporte en su país.

No olvide:
- diferenciar las partes de su exposición: introducción, desarrollo y conclusión final;
- ordenar y relacionar bien las ideas;
- justificar sus opiniones.

TAREA 2

INSTRUCCIONES

Cuando haya terminado su exposición (Tarea 1), usted deberá mantener una conversación con el entrevistador sobre el mismo tema.

Duración aproximada de la prueba: 3-4 minutos

EJEMPLOS DE PREGUNTAS DEL ENTREVISTADOR:

- ¿Cree que el coche es una necesidad para la mayoría de la población?
- ¿Qué tipo de transporte preferiría no utilizar?, ¿por qué?
- ¿Cómo cree que será el transporte en el futuro?

TAREA 3

INSTRUCCIONES

Le proponemos dos fotografías para esta tarea. Elija una de ellas y obsérvela con detalle.

Duración aproximada de la prueba: 2–3 minutos

FOTOGRAFÍA 1:

Describa con detalle, durante 1 o 2 minutos, lo que ve en la foto y lo que imagina que está ocurriendo.

Estos son algunos aspectos que puede comentar:

– Las personas: dónde están, cómo son, qué hacen.

– El lugar en que se encuentran: ¿cómo es?

– ¿Qué relación cree que existe entre estas personas?

– ¿De qué cree que están hablando?

Posteriormente, el entrevistador le hará algunas preguntas.

EJEMPLOS DE PREGUNTAS DEL ENTREVISTADOR:

– ¿Va a menudo al cine?, ¿qué tipo de películas le gustan?

– ¿Cree que dentro de cincuenta años todavía existirán los cines?

– ¿Ha visto alguna película española?, ¿qué le pareció?

FOTOGRAFÍA 2:

Describa con detalle, durante 1 o 2 minutos, lo que ve en la foto y lo que imagina que está ocurriendo.

Estos son algunos aspectos que puede comentar:

– Las personas: dónde están, cómo son, qué hacen.

– El lugar en que se encuentran: ¿cómo es?

– ¿Qué relación cree que existe entre estas personas?

– ¿De qué cree que están hablando?

Posteriormente, el entrevistador le hará algunas preguntas.

EJEMPLOS DE PREGUNTAS DEL ENTREVISTADOR:

– ¿En su país es normal que los nietos pasen mucho tiempo con los abuelos?

– ¿Cree que es difícil para los padres combinar la vida laboral con la vida familiar?

– ¿En su ciudad hay muchos parques o zonas verdes por donde pasear?

TAREA 4

PRUEBA DE EXPRESIÓN E INTERACCIÓN ORALES

INSTRUCCIONES

Usted debe dialogar con el entrevistador en una situación simulada.

Duración aproximada de la prueba: 2–3 minutos

EJEMPLO DE SITUACIÓN

Usted ha estado paseando con su hija y su nieto y han decidido sentarse en una terraza para comer un helado. Hable con el dependiente de la heladería siguiendo estas indicaciones:

Durante la conversación con el responsable de Atención al Cliente debe:

– preguntarle qué sabores tiene, cuál le recomienda y cuáles son los precios.

– preguntar si sentarse en la terraza tiene algún coste añadido;

– expresar su opinión por el producto que han consumido;

– pagar y despedirse.

EJEMPLOS DE PREGUNTAS DEL ENTREVISTADOR:

– Buenas tardes, ¿qué desean tomar?

– ¿De cuántas bolas quieren el helado?

– ¿Qué les han parecido nuestros helados?

PRUEBA DE COMPRENSIÓN DE LECTURA

Duración de la prueba: 70 minutos

Número de ítems: 30

TAREA 1

INSTRUCCIONES

Usted va a leer lo que dicen seis personas sobre sus hábitos de lectura y diez textos que informan sobre diferentes tipos de libros, revistas y cómics. Relacione a las personas (1-6) con los textos (A-J). Hay tres textos que no debe relacionar.

*Marque las opciones elegidas en la **Hoja de respuestas**.*

	PERSONA	ENUNCIADO
0.	MÓNICA	D
1.	EDU	
2.	LUCAS	
3.	ELENA	
4.	ANABEL	
5.	MARCOS	
6.	CAROLINA	

3. ELENA
Yo quiero ser actriz y actuar delante del público, pero para serlo hay que leer muchas obras y guiones de cine. Son una fuente de inspiración para mí.

0. MÓNICA
De pequeña casi nunca leía tebeos. Solía leer cuentos de hadas y princesas que me regalaban en mi cumpleaños y por Navidad. Sin embargo, ahora soy muy aficionada a las novelas gráficas.

4. ANABEL
A mí me gusta leer biografías de personajes históricos. Me parece una manera estupenda de aprender Historia. Con una condición, tienen que tener rigor científico y estar bien escritas.

1. EDU
Yo no tengo tiempo de leer libros, solo para mis estudios, porque en mi tiempo libre practico el *skate*. Sobre eso sí que leo, ahora hay muchas revistas sobre este deporte.

5. MARCOS
Desde que estoy en paro, yo soy el que se encarga de cocinar en la familia. Así que me paso el día en la cocina con mis libros de recetas.

6. CAROLINA
¿Que si leo? ¿Con dos niños pequeños? Pues leo mucho, cada día uno o dos cuentos a mis hijos antes de dormir. Es como volver a la infancia y revivir muchas sensaciones.

2. LUCAS
Desde siempre me han apasionado los mapas y los atlas, pero como no puedo hacer los viajes que me gustaría, siempre estoy leyendo algún libro sobre viajeros y lugares exóticos.

ÚLTIMAS ADQUISICIONES DE NUESTRA BIBLIOTECA MUNICIPAL

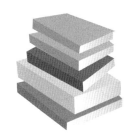

A. *Sin billete de vuelta*

Una historia de siete meses, un trayecto de un mochilero español que relata un recorrido que sumar a su extenso currículum. Es una aventura apasionante por América Latina a través de una ruta compuesta por los mejores escenarios naturales, una agitada historia y un patrimonio excepcional. El lector saboreará los lugares descritos como si estuviera en ellos.

B. *Pánico en el país de la geometría*

Había una vez un estudiante que detestaba la geometría, se ponía enfermo con la aritmética, y en el libro de matemáticas pintaba corazones hasta que un día… No es un libro de dragones y príncipes convertidos en ranas, sino una historia para liberar la imaginación y aprender. Tanto los niños como los mayores disfrutarán con él.

C. *Yo que tú*

Este libro aborda temas de gramática desde una perspectiva actual y amena que permite el acercamiento a la poesía escrita en español y está dirigido a todos aquellos amantes de la buena poesía. Su autor, profesor y poeta, hace converger en él estas dos facetas.

D. *Trazos de tiza*

Una pequeña isla perdida en el océano se convierte en un misterioso territorio donde se suceden un conjunto de acontecimientos extraños e inexplicables. Una historia de amor enigmática con un final inesperado. Una narración que acepta varias interpretaciones, cada lectura de este cómic es única. El lector, tras la última viñeta, llegará a su propia interpretación global de la historia.

E. *El cielo de Madrid*

En el último cuarto del siglo xx, en España terminó la dictadura, llegó la democracia, y con ello el despertar al mundo y a la libertad. Carlos y sus amigos, un grupo de artistas y escritores, llegaron a Madrid buscando el triunfo, pero ni el éxito ni el fracaso son como ellos pensaban.

F. *La Tabla*

En este número, además de un monográfico sobre la historia de esta práctica deportiva y sus diferentes estilos, se incluyen entrevistas a diferentes competidores que han participado en campeonatos por todo el mundo, que describen muchos de sus trucos, y las figuras y piruetas que les han hecho famosos. Dirigido a todos los jóvenes apasionados de la tabla sobre ruedas.

G. *Hecho a mano*

Viajar por Europa descubriendo diferentes tipos de pan de la mano del autor de este libro es una experiencia única. Más que un libro de recetas de pan, se trata de un verdadero libro de amor por el pan y los que lo elaboran.

H. *Mis mascotas*

En su último número podrás leer un artículo sobre las especies más raras halladas en diferentes lugares del planeta, entre otras curiosidades. Como siempre, las secciones habituales dedicarán un espacio al cuidado y a la alimentación de nuestras mascotas: ¿Las alimentamos bien? ¿La comida casera contiene todos los nutrientes necesarios para una dieta adecuada?

I. *Moctezuma. El semidiós destronado*

El libro describe, con gran detalle, toda la vida de Moctezuma II, desde el momento de su nacimiento hasta su muerte y un poco más allá, hasta el momento de la caída del Imperio azteca. En las crónicas que hicieron los españoles sobre la conquista del imperio azteca aparece como alguien apacible y dócil. ¿Era realmente así?

J. *Yerma*

Se trata de la evolución de la protagonista, Yerma, quien descubre a lo largo del drama aquello que tanto teme: no puede tener hijos.
Lorca combina en esta pieza, de forma magistral, la religiosidad pagana del pueblo andaluz, la tradición lírica del teatro clásico español, la antigua tragedia griega y la tradición bíblica.

TAREA 2

INSTRUCCIONES

Usted va a leer un texto sobre el origen de los tomates. Después, debe contestar a las preguntas (7-12). Seleccione la respuesta correcta (A, B o C).

*Marque las opciones elegidas en la **Hoja de respuestas**.*

El origen de los tomates

Deben de existir miles de platos en los que el tomate es el ingrediente principal o el elemento clave. Debido a su color, sabor y versatilidad, el tomate ha recorrido un largo camino desde las antiguas civilizaciones aztecas hasta convertirse en un elemento omnipresente en las cocinas de hoy.

Muchos de los platos más comunes y deliciosos que se preparan actualmente se remontan a tiempos antiguos y al intercambio de plantas alimenticias entre el Viejo y el Nuevo Mundo. El tomate es originario de los bajos Andes y fue cultivado por los aztecas en México. La palabra azteca "tomatl" significaba simplemente "fruta hinchada" y los conquistadores españoles lo llamaron "tomate". El tomate, junto con el maíz, la patata, el chile y la batata, fueron introducidos en España a principios del siglo XVI gracias a los viajes de Colón.

Probablemente, el tomate llegó en primer lugar a Sevilla, que era uno de los principales centros del comercio internacional, en particular con Italia. En 1544, el herborista italiano Mattioli se refirió a los frutos amarillos de la planta del tomate como manzana de oro, y más adelante, en 1554, mencionó una variedad roja. El mismo año, Dodoens, un herborista holandés, realizó una descripción detallada del fruto y este se ganó la reputación de afrodisíaco. Esto explica los nombres como "pomme d´amour" en francés, "pomodoro" en italiano y "love apple" en inglés.

La transformación de ingrediente medicinal en ingrediente culinario común empezó lentamente en el siglo XVIII. La primera receta napolitana publicada que se conoce para preparar "salsa de tomate al estilo español" data de 1692.

Aunque el tomate se considera una verdura debido a sus diversos usos culinarios, es un pariente próximo de la patata, el pimiento y la berenjena. El tomate es uno de los alimentos o ingredientes más populares en Europa, debido en parte a su facilidad para combinarse bien con queso, huevos, carne y una amplia variedad de hierbas aromáticas.

Los tomates son nutritivos. Contienen grandes cantidades de vitamina C y folato. El tomate es asimismo la fuente alimentaria más importante de un pigmento rojo llamado licopeno, que tiene propiedades antioxidantes y puede ser anticancerígeno.

Las directrices nacionales e internacionales en materia de alimentación recomiendan un mayor consumo de frutas y verduras y aconseja tomar al menos cinco porciones al día. Los tomates son un fruto estupendo para un rápido tentempié sano y nutritivo, y como ingrediente de una receta creativa.

(Adaptado de http://www.eufic.org/article/es/artid/tomates/)

PREGUNTAS

7. Según el texto, el tomate...

a) es de origen desconocido.

b) no se cultivaba cuando lo descubrieron los españoles.

c) debe su denominación a una palabra azteca.

8. En el texto se menciona que no fue hasta el siglo XVI cuando el tomate...

a) se comercializó desde Italia.

b) llegó a España.

c) se cultivó en México.

9. Según el texto, los diferentes nombres dados al tomate en algunas lenguas europeas...

a) tienen relación con algunas propiedades que se le atribuían.

b) son los de los herboristas que hicieron una descripción de él.

c) datan de principios del siglo XVI.

10. En el texto se dice que el tomate como ingrediente en la cocina...

a) se popularizó rápidamente en Europa.

b) se usaba, al principio, como ingrediente culinario.

c) es uno de los alimentos más habituales en Europa.

11. Desde el punto de vista nutricional, según el texto, los tomates...

a) son el alimento con mayor contenido de una sustancia con propiedades antioxidantes.

b) son indispensables en la lucha contra el cáncer.

c) contienen una gran variedad de vitaminas.

12. En relación con la alimentación, en el texto se dice que...

a) es aconsejable comer cinco veces al día.

b) es recomendable consumir más frutas y verduras.

c) los tomates son fáciles de digerir.

TAREA 3

INSTRUCCIONES

Usted va a leer tres textos en los que unas personas nos hablan de su experiencia como voluntarios.

Relacione las preguntas (13-18) con los textos (A, B o C).

*Marque las opciones elegidas en la **Hoja de respuestas.***

ELOY

A. Por motivos de trabajo me fui a vivir a Irlanda hace tres años y, aunque visito de vez en cuando a mi familia y a mi novia en España, me siento un poco solo. Para remediarlo, cuando llegué, me puse a buscar actividades de voluntariado en Dublín. En internet encontré una protectora de animales y envié una solicitud de voluntariado. Me contestaron en menos de veinticuatro horas. Me preguntaron si tenía experiencia previa con animales y qué días tenía libres. En menos de dos días ya estaba allí con una tarea y rodeado de animales. Desde entonces voy dos o tres días por semana. Me encargo de pasear, cepillar y dar de comer a los burros y los caballos. También me aseguro de que están sanos. La verdad es que es una experiencia única.

XAVI

B. He realizado varios voluntariados. Uno de ellos lo hice cuando estuve con una beca estudiando en la Universidad de Málaga. Allí la asociación de voluntarios de Málaga ofrecía diferentes actividades, y yo elegí una en la que se trabajaba con niños en el hospital. Nos encargábamos de la biblioteca y lo que hacíamos los voluntarios era ir una vez a la semana y montar un carrito con libros para ir por las habitaciones de los niños que estaban hospitalizados, e ir ofreciéndoles libros para que ocupasen su tiempo libre. Fue muy gratificante, sobre todo con los niños que estaban más tiempo en el hospital, porque te recibían todos los días con una enorme alegría y con muchas ganas de leer libros nuevos.

NATALIA

C. Por circunstancias de la vida me prejubilaron. Me quedé en casa, pero tenía muy claro que no quería hacerme vieja antes de tiempo. Yo me había dedicado toda mi vida a la enseñanza y quería seguir transmitiendo conocimientos. Así que busqué y busqué. Aprendí a navegar por internet y abrí una cuenta de correo electrónico. En internet vi un anuncio que decía: "¿Quieres ser guía cultural?", y no lo dudé. Escribí y recibí una respuesta en octubre por si quería ir a unas charlas en el Museo de América. Una de las opciones que ofrecían era la de ser guía cultural para enseñar Madrid. Me apunté y me encantó. Me estuve formando durante un año con clases teóricas y prácticas, y desde que terminé, hago visitas guiadas para jubilados como voluntaria.

		A. ELOY	B. XAVI	C. NATALIA
13.	¿Qué persona se hizo voluntaria para continuar siendo útil?			
14.	¿Quién dice que combina o ha combinado su actividad laboral con el voluntariado?			
15.	¿Qué persona se preparó más tiempo antes de empezar el voluntariado?			
16.	¿Cuál de ellos tiene experiencia en diversos trabajos de voluntariado?			
17.	¿Qué persona dedica o ha dedicado más tiempo a la actividad en la que se ha implicado?			
18.	¿Cuál de ellos menciona que su actividad llena de felicidad a los que la reciben?			

TAREA 4

INSTRUCCIONES

Lea el siguiente texto, del que se han extraído seis fragmentos. A continuación lea los ocho fragmentos propuestos (A–H) y decida en qué lugar del texto (19–24) hay que colocar cada uno de ellos. Hay dos fragmentos que no tiene que elegir.

Marque las opciones elegidas en la **Hoja de respuestas.**

¿NIÑOS O ADULTOS?

Uno de los fines de la educación es que los niños sean autónomos.

Muchos padres suelen anticiparse a las acciones de los niños y no les permiten realizar cosas que podrían hacer solos.

Puede manejar dinero

La paga le enseña a administrarse, a ser responsable y a ahorrar. La edad a la que puede empezar a recibirla es hacia los ocho o diez años, 19. .... De todas formas, los padres deben supervisar el dinero del niño y mantener ciertos criterios: tienen que darle una cantidad pequeña porque cuanto más tenga, más gastará. A la edad de la que hablamos, puede ser el doble de lo que cuesta un helado. Estaría bien que algunos gastos del pequeño, como los lápices, salieran de vez en cuando de sus ahorros; así los cuidará más y comprenderá el valor de las cosas.

Elegir la ropa

20. .... Sin embargo, todavía no tiene criterio para saber cuál es la más adecuada. No es extraño que quiera llevar una camiseta y unos pantalones cortos en invierno o un jersey de lana en pleno verano. Pero una cosa es que hable y otra que pueda elegir.

«Es mejor no preguntarle cómo quiere vestirse sino darle la elección hecha, 21. ...., aconseja el pediatra Aldo Naouri.

Dormir fuera de casa

A partir de los siete años, puede atraerle la idea de dormir en casa de un amigo. Si es la primera vez o es muy tímido y dependiente, 22. .... Hay que explicarle que no está obligado a ir si no quiere y que puede llamarnos a la hora que sea si prefiere volver a casa. 23. ....

Tener su primer móvil

El teléfono no es un juguete sino una herramienta de comunicación que puede resultar más o menos necesaria a edades tempranas, en función de los hábitos.

Si se entrega al niño por seguridad, hay que controlar su uso para evitar adicciones. Y según explica Guillermo Cánovas, presidente de la Organización de Protección de la Infancia en Tecnologías "Protégeles": «La edad de inicio está en función de las circunstancias de cada familia, porque en algunas los niños de diez años ya pasan casi todo el día fuera de casa 24. ....

(Adaptado de http://www.soymanitas.com/ininos-o-adultos)

FRAGMENTOS

A. habrá que darle instrucciones antes de apresurarnos a meter el pijama y el cepillo de dientes en su mochila.

B. Generalmente es la madre la que pone la cuestión sobre la mesa, aunque estén los dos.

C. sin contacto con los padres y son éstos los que consideran que deben estar comunicados».

D. Se trata de que el pequeño se sienta seguro y, en la medida de lo posible, como en casa.

E. Alrededor de los cinco años, puede opinar sobre la ropa que quiere ponerse.

F. pero uno de los errores más frecuentes de padres y madres es excederse en la tolerancia».

G. que es cuando comprende mejor el sistema monetario y el valor de ciertas cantidades.

TAREA 5

INSTRUCCIONES

Lea el texto y rellene los huecos (25-30) con la opción correcta (A, B o C).

*Marque las opciones elegidas en la **Hoja de respuestas.***

Hola, Manu:

¿Qué tal? Mira, te escribo porque ayer me ......25...... a Sergi, con el que hacíamos teatro en el instituto, ¿te acuerdas de él? ¿Un chico gordito, con gafas, que siempre se olvidaba de su papel? Pues ......26...... ni está gordo ni lleva gafas y tiene un aspecto envidiable, la verdad.

Me dijo que sigue con el teatro, pero dando clases de improvisación y de expresión corporal tanto a niños ......27...... a adultos, en programas que hace el ayuntamiento. Bueno, el caso es que se alegró mucho de verme porque estaba pensando en hacer una reunión con los compañeros de entonces, pero que había perdido el contacto ......28...... la mayoría.

Me preguntó si yo sabía cómo contactar con algunos de vosotros para organizarlo juntos. Yo creo que es una buena idea y me parece estupendo que nos ......29...... a ver. Sé que tú todavía hablas de vez en cuando con algunos de ellos. ¿Crees que les gustará la idea? Dime qué te parece y ......30...... digo a Sergi. Hemos quedado en vernos el sábado por la tarde. Si quieres, puedes venir tú también y así hablamos los tres. Llámame cuando puedas.

Un saludo,
Miguel

OPCIONES

25. a) encontraba	**26.** a) todavía	**27.** a) como	**28.** a) a	**29.** a) volvamos	**30.** a) se le
b) había encontrado	b) ya	b) que	b) con	b) volvemos	b) le
c) encontré	c) tampoco	c) igual	c) para	c) hemos vuelto	c) se lo

PRUEBA DE COMPRENSIÓN AUDITIVA

Duración de la prueba: 40 minutos

Número de ítems: 70

TAREA 1

 **INSTRUCCIONES**

Usted va a escuchar seis avisos breves. Escuchará cada aviso dos veces. Después debe contestar a las preguntas (1-6). Seleccione la opción correcta (A, B o C).

*Marque las opciones elegidas en la **Hoja de respuestas.***

Tiene 30 segundos para leer las preguntas.

PREGUNTAS

AVISO 1

1. ¿De qué informa el aviso por megafonía?

a) Del retraso en los vuelos procedentes de Nueva York.

b) De que temporalmente los vuelos con destino a Nueva York no se van a realizar.

c) De que los vuelos a Nueva York se reanudarán en breve.

AVISO 2

2. Por la megafonía del metro de Madrid se informa de que...

a) se ofrecerá una alternativa a los viajeros de la línea afectada.

b) mañana una estación de metro estará fuera de servicio por obras.

c) las entradas de metro de la línea 4 permanecerán cerradas durante el día de mañana.

AVISO 3

3. Según el mensaje dado por megafonía, los trenes regionales...

a) no van a realizar el trayecto de Teruel a Valencia.

b) no van a hacer una de las paradas habituales en uno de sus trayectos.

c) van a efectuar su salida desde Valencia en vez de hacerlo desde Sagunto.

AVISO 4

4. El aviso por megafonía es para...

a) informar a los conductores sobre un problema en el aparcamiento.

b) que retire su coche de la entrada del aparcamiento un conductor.

c) el conductor de uno de los coches que está estacionado en el aparcamiento.

AVISO 5

5. En el mensaje por megafonía se avisa...

a) del retraso en la llegada de uno de los trenes.

b) de que algunos trenes van a salir temporalmente por la vía 3.

c) de que un tren va a salir con veinte minutos de retraso.

AVISO 6

6. Se avisa a todos los fumadores...

a) de que está prohibido fumar en todo el recinto de la estación.

b) de que durante el viaje pueden fumar en sitios reservados para tal fin.

c) de que hay zonas habilitadas para fumar.

TAREA 2

 INSTRUCCIONES

Usted va a escuchar un fragmento del programa de radio "Y a ti, ¿cómo te fue?", donde los oyentes cuentan experiencias personales en el extranjero. Escuchará la audición dos veces. Después debe contestar a las preguntas (7-12). Seleccione la respuesta correcta (A, B o C).

*Marque las opciones elegidas en la **Hoja de respuestas**.*

Tiene 30 segundos para leer las preguntas.

PREGUNTAS

7. Según la audición, Mireia dice que fue a Brasil...

a) para aprender portugués.
b) después de perder su trabajo.
c) porque quería viajar por Sudamérica.

8. Mireia comenta en la grabación que la beca de formación...

a) no incluía los gastos para clases de portugués.
b) la consiguió tras realizar unas pruebas.
c) era algo que no esperaba.

9. Según la grabación, para aprender portugués Mireia decidió...

a) hacer lo que le habían recomendado.
b) estudiar en su propia casa.
c) tener una profesora cuatro horas a la semana.

10. Según dice Mireia en la audición, el portugués...

a) tiene una variante para la comunicación cotidiana.
b) se puede perfeccionar sin estudiar.
c) es muy similar al español.

11. Según la audición, en la actualidad Mireia...

a) tiene que viajar por motivos laborales.
b) trabaja en una agencia de viajes.
c) traduce artículos para una revista.

12. Sobre su decisión de vivir en Brasil, Mireia dice en la grabación que...

a) no es definitiva y que algún día volverá a España.
b) se arrepiente porque está lejos de su familia y de sus amigos.
c) es lo mejor que le ha pasado.

TAREA 3

 INSTRUCCIONES

Usted va a escuchar en un programa de radio seis noticias. Escuchará la audición dos veces. Después debe contestar a las preguntas (13-18). Seleccione la respuesta correcta (A, B o C).

*Marque las opciones elegidas en la **Hoja de respuestas**.*

Tiene 30 segundos para leer las preguntas.

PREGUNTAS

NOTICIA 1

13. En el zoo de Buenos Aires...

a) los veterinarios lograron salvar a un oso.
b) quedaba solo un oso polar.
c) un oso polar ha muerto y todavía se desconocen las causas.

NOTICIA 2

14. En la ciudad de Buenos Aires...

a) se podrá disfrutar una vez más de una exposición floral.
b) una cooperativa venderá flores por las calles.
c) se ha celebrado una exposición sobre arte y diseño con flores.

NOTICIA 3

15. El Festival Mundial "Tango Buenos Aires"...

a) ha durado más tiempo que en ediciones anteriores.

b) se ha organizado en diez ocasiones.

c) en su última edición ha atraído a menos personas que el del año anterior.

NOTICIA 4

16. En la autopista Buenos Aires-La Plata...

a) se han producido varios accidentes en más de diez kilómetros.

b) hay una parte de la autovía por la que ya se puede circular.

c) ha habido un accidente con solo un herido.

NOTICIA 5

17. En el torneo de la Federación de Tenis adaptado...

a) habrá deportistas de diferentes naciones.

b) se realizarán también otras competiciones deportivas.

c) durante una semana se ofrecerán partidos que se podrán ver gratis.

NOTICIA 6

18. Según el informe meteorológico...

a) las temperaturas no han sufrido cambios significativos.

b) el viento ha ayudado a suavizar las temperaturas.

c) el tiempo sigue siendo igual de caluroso que en días anteriores.

TAREA 4

PRUEBA DE COMPRENSIÓN AUDITIVA Y USO DE LA LENGUA

 **INSTRUCCIONES**

Usted va a escuchar a seis personas que hablan sobre los regalos que más ilusión les han hecho y por qué. Escuchará a cada persona dos veces. Seleccione el enunciado (A-J) que corresponde al tema del que habla cada persona (19-24). Hay diez enunciados, incluido el ejemplo. Seleccione solamente seis.

*Marque las opciones elegidas en la **Hoja de respuestas.***

Ahora escuche el ejemplo:

Ejemplo: | Persona 0:

	A	B	C	D	E	F	G	H	I	J
0.								■		

La opción correcta es la **H**.

Tiene 20 segundos para leer los enunciados.

	ENUNCIADOS
A.	Usa el mismo objeto desde hace tres décadas.
B.	No se separa nunca de su hijo.
C.	Ya no tiene relación con quien le hizo el regalo.
D.	Un regalo determinó su profesión.
E.	Tiene que ausentarse de casa por motivos laborales.
F.	Le entristece pensar en su vida anterior.
G.	El regalo lo disfrutó con otra persona.
H.	Tenía un deseo desde la infancia que vio cumplido.
I.	Le han hecho un regalo hace poco tiempo.
J.	En la infancia se cumplieron sus deseos.

	PERSONA	ENUNCIADO
	Persona 0	H
19.	Persona 1	
20.	Persona 2	
21.	Persona 3	
22.	Persona 4	
23.	Persona 5	
24.	Persona 6	

TAREA 5

🎧 INSTRUCCIONES

Usted va a escuchar una conversación entre dos personas, un entrenador de un equipo de baloncesto escolar y Elena, una de las jugadoras. Indique si los enunciados (25-30) se refieren al entrenador (A), a Elena (B) o a ninguno de los dos (C). Escuchará la conversación dos veces.

*Marque las opciones elegidas en la **Hoja de respuestas.***

Tiene 25 segundos para leer los enunciados.

		A Entrenador	B Elena	C Ninguno
0.	Está preocupado/a por una competición deportiva.		x	
25.	Sabe lo que ha pasado pero no le da importancia.			
26.	Entiende el motivo por el que ha sido castigada Arancha.			
27.	Piensa que no se castiga solo a Arancha sino a todo el equipo.			
28.	No tiene intención de solucionar el problema.			
29.	Comparte la opinión de los padres de Arancha sobre los estudios.			
30.	Reconoce que está equivocado/a.			

PRUEBA DE EXPRESIÓN E INTERACCIÓN ESCRITAS

Duración de la prueba: 60 minutos

TAREA 1

INSTRUCCIONES

Usted ha leído este anuncio en el tablón de anuncios virtual de la universidad:

■ **Alquiler de pisos** > **Se busca compañera de piso**

Somos tres chicas y buscamos a una cuarta para completar el piso. La entrada sería inmediata. El piso está en pleno centro de la ciudad y está amueblado. Es económico y muy luminoso. Todas las habitaciones cuentan con escritorio, armario, cama, estanterías y ventana exterior. Dos baños, salón comedor, cocina, trastero y cuatro habitaciones. El precio es de 150 euros más gastos de gas, luz y agua. Buscamos a una persona no fumadora.

Persona de contacto: Pilar (gomezpilar@alquilerdepisos.difu)

Escríbales un correo electrónico a las personas del anuncio; en él deberá:

– *saludar y presentarse;*

– *explicar por qué está interesado/a en compartir el piso;*

– *comentar si cumple con los requisitos que se piden y contar alguna experiencia anterior compartiendo piso;*

– *proponer una cita para ver el piso y para conocerse en persona;*

– *informar sobre la manera de contactar con usted y despedirse.*

Número de palabras: entre 100 y 120.

TAREA 2

INSTRUCCIONES

Elija solo una de las dos opciones que se le ofrecen a continuación:

OPCIÓN 1

Lea el siguiente mensaje publicado en una página web de una revista de interés general:

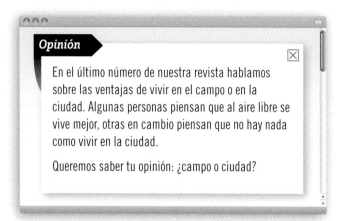

Opinión

En el último número de nuestra revista hablamos sobre las ventajas de vivir en el campo o en la ciudad. Algunas personas piensan que al aire libre se vive mejor, otras en cambio piensan que no hay nada como vivir en la ciudad.

Queremos saber tu opinión: ¿campo o ciudad?

Escriba un comentario para el muro de la revista en el que explique:

– *Si vive en el campo o en la ciudad y qué ventajas e inconvenientes le ofrece esa forma de vida.*

– *Si le gustaría cambiarse de la ciudad al campo o viceversa y por qué. Añada alguna experiencia positiva o negativa que pueda influir en dicha decisión.*

– *A qué le gustaría dedicarse en el campo o en la ciudad tras el cambio.*

Número de palabras: entre 130 y 150.

OPCIÓN 2

Lea el siguiente texto aparecido en el foro de una asociación ecologista:

➤ Con ocasión del DÍA MUNDIAL SIN COCHES, este 22 de septiembre, queremos saber cómo se celebra en su ciudad, su opinión sobre iniciativas como esta y si usted participa o ha participado de alguna manera.

> opinar

Redacte un texto en el que deberá:

– *presentarse;*

– *decir cuál es su ciudad y si se celebra este día en ella;*

– *dar su opinión sobre esta iniciativa y cómo participa usted en la misma;*

– *proponer alguna otra idea para que la gente utilice menos el coche.*

Número de palabras: entre 130 y 150.

PRUEBA DE EXPRESIÓN E INTERACCIÓN ORALES

Duración de la prueba: 15 minutos + 15 minutos de preparación

TAREA 1

INSTRUCCIONES

Le proponemos dos temas con algunas indicaciones para preparar una exposición oral. Elija uno de ellos.
El entrevistador no intervendrá en esta parte de la prueba.

Duración aproximada de la prueba: 2–3 minutos

EJEMPLO DE TEMA

Hable sobre cómo sería su trabajo ideal.

Incluya información sobre:
- tipo de trabajo y por qué le gustaría;
- qué condiciones laborales debería tener en relación con el horario, la relación con los compañeros, el sueldo, las vacaciones, la ubicación del lugar de trabajo;
- su experiencia laboral, si la tiene, mencionando algunos aspectos positivos y negativos de la misma.

No olvide:
- diferenciar las partes de su exposición: introducción, desarrollo y conclusión final;
- ordenar y relacionar bien las ideas;
- justificar sus opiniones.

TAREA 2

INSTRUCCIONES

Cuando haya terminado su exposición (Tarea 1), usted deberá mantener una conversación con el entrevistador sobre el mismo tema.

Duración aproximada de la prueba: 3–4 minutos

EJEMPLOS DE PREGUNTAS DEL ENTREVISTADOR:
- ¿Tiene experiencia laboral? ¿En qué tipo de trabajo o actividad?
- ¿Estaba o está satisfecho/a con las condiciones de trabajo? ¿Por qué?
- ¿Le gustaría cambiar de trabajo? ¿Qué otro tipo de trabajo le gustaría realizar?

TAREA 3

INSTRUCCIONES

Le proponemos dos fotografías para esta tarea. Elija una de ellas y obsérvela con detalle.

Duración aproximada de la prueba: 2-3 minutos

FOTOGRAFÍA 1:

Describa con detalle, durante 1 o 2 minutos, lo que ve en la foto y lo que imagina que está ocurriendo.

Estos son algunos aspectos que puede comentar:

- Las personas: dónde están, cómo son, qué hacen.
- El lugar en que se encuentran: ¿cómo es y qué hay en él?
- ¿Qué relación cree que existe entre estas personas?
- ¿De qué cree que están hablando?

Posteriormente, el entrevistador le hará algunas preguntas.

EJEMPLOS DE PREGUNTAS DEL ENTREVISTADOR:

- ¿Le gusta ir a museos o a exposiciones? ¿Por qué?
- ¿En su ciudad o en su país hay lugares de interés cultural? ¿Cuáles?
- ¿Cuando era pequeño fue con el colegio a algún museo o lugar de interés? ¿Qué aprendió con la visita?
- ¿Le gustaría conocer algún museo o lugar de interés de su país o de otro que por diferentes circunstancias no ha podido visitar hasta ahora?

FOTOGRAFÍA 2:

Estos son algunos aspectos que puede comentar:
- Las personas: dónde están, cómo son, qué hacen.
- El lugar en que se encuentran: ¿cómo es y qué hay?
- ¿Qué relación cree que existe entre estas personas?
- ¿De qué cree que están hablando?

Posteriormente, el entrevistador le hará algunas preguntas.

La duración total de esta tarea es de 2 a 3 minutos.

Describa con detalle, durante 1 o 2 minutos, lo que ve en la foto y lo que imagina que está ocurriendo.

EJEMPLOS DE PREGUNTAS DEL ENTREVISTADOR:
- ¿En el lugar donde usted vive hay lugares donde se puede hacer deporte? ¿Qué tipo de deportes?
- ¿Y usted hace deporte o practicaba alguno en el pasado? ¿Puede contar su experiencia?
- ¿Cree que es importante hacer deporte? ¿Por qué?
- ¿Le gustaría practicar algún deporte que hasta ahora no ha podido realizar? ¿Por qué?

TAREA 4

PRUEBA DE EXPRESIÓN E INTERACCIÓN ORALES

INSTRUCCIONES

Usted debe dialogar con el entrevistador en una situación simulada durante dos o tres minutos.

Duración aproximada de la prueba: 2-3 minutos

EJEMPLO DE SITUACIÓN

Usted pensaba ir a esquiar e hizo la reserva con una agencia que se dedica a los deportes de aventura. Ahora ha cambiado de planes y está interesado/a en cambiar la actividad deportiva por otra de las que ofrece la agencia.

Imagine que el entrevistador es el encargado de hacer las reservas y orientar a los clientes en la agencia.

Durante la conversación con el encargado debe:
- comentarle que había hecho una reserva y la intención de modificarla;
- explicarle los motivos del cambio;
- pedirle una alternativa que tenga en cuenta sus preferencias.

EJEMPLOS DE PREGUNTAS DEL ENTREVISTADOR:
- Hola, buenas días. ¿En qué puedo ayudarle?
- ¿Cuándo hizo la reserva y para cuándo era?
- ¿Ha realizado ya alguna actividad con nuestra agencia?
- ¿Qué tipo de deportes aventura le gustaría realizar?

PRUEBA DE COMPRENSIÓN DE LECTURA

Duración de la prueba: 70 minutos

Número de ítems: 30

TAREA 1

INSTRUCCIONES

Usted va a leer seis textos en los que unas personas hablan de las actividades programadas para el Día del Medio Ambiente y diez textos que describen dichas actividades. Relacione a las personas (1–6) con los textos que describen las actividades programadas (A–J). Hay tres textos que no debe relacionar.

*Marque las opciones elegidas en la **Hoja de respuestas**.*

	PERSONA	TEXTO
0.	JUANMA	B
1.	LUCAS	
2.	NEREA	
3.	NACHO	
4.	ASUN	
5.	ENRIQUE	
6.	CELIA	

3. NACHO
Yo ya me he inscrito y, además, lo he hecho desde casa. Ya tengo todo preparado para ponerme a pedalear. Espero que seamos muchos.

0. JUANMA
La verdad es que los participantes han hecho unos trabajos magníficos. Mi hijo también, y está contentísimo con la experiencia. Todos se merecen quedar primeros.

4. ASUN
Me parece genial que enseñen a reutilizar algunos residuos. Yo todavía recuerdo cómo lo hacía mi abuela, pero nunca aprendí, así que me voy a apuntar.

1. LUCAS
En mi opinión, no debería ser solo para niños. La gente piensa que no se va a acabar nunca y derrocha muchísima cada día cuando se baña o se lava los dientes.

5. ENRIQUE
Tengo mucha curiosidad por ver cómo funcionan y cómo se hacen. Es una alternativa económica y que tiene mucho futuro. A las doce estaré allí.

2. NEREA
Es un poco tarde para los niños, pero no nos lo queremos perder. Me parece una idea muy buena y original. Seguro que las melodías suenan de maravilla.

6. CELIA
Es una oportunidad para hacer limpieza en casa. Tengo un montón de cosas que puede necesitar alguien más que yo. Es muy bueno que se tomen este tipo de iniciativas.

CELEBRACIÓN DEL DÍA MUNDIAL DEL MEDIO AMBIENTE

A | TALLER DE RECICLAJE DOMÉSTICO

Taller teórico-práctico de tres horas de duración para saber qué ocurre con la basura cuando la depositamos en los contenedores y para resolver las dudas que tenemos a la hora de separar los residuos domésticos.

Finalizará el taller con la elaboración de jabón para lavar la ropa o los platos con aceite usado.

4 de junio de 10:30 a 13:30 h.

B | CONCURSO: "PIENSA. ALIMÉNTATE. AHORRA"

Entrega de premios del concurso de pintura y redacción "Piensa. Aliméntate. Ahorra.", en el salón de actos de la biblioteca, el 5 de junio a las 18 h. El tema de este año hace referencia al tercio de la producción alimentaria que se pierde o es desechada, lo que genera graves consecuencias en el medio que nos rodea.

C | RUTA EN BICI

El 4 de junio se celebrará una ruta en bicicleta por la Vía Verde para visitar un huerto ecológico. Todos aquellos que deseen participar deberán inscribirse previamente en la Concejalía de Medio Ambiente rellenando un formulario que podrán encontrar también en la web municipal. La salida de la ruta tendrá lugar a las 19 h en la puerta del ayuntamiento.

D | EXPOSICIÓN DE FOTOGRAFÍA: LA FLORA, LA FAUNA Y EL PAISAJE DE NUESTRO ENTORNO

Del 1 al 15 de junio habrá una exposición de fotografía en la sala de exposiciones de la Biblioteca Municipal. En ella se podrán ver las fotografías realizadas por los participantes en el concurso "Flora, fauna y paisaje de nuestro entorno". Se podrá visitar de lunes a viernes de 10:30 a 13:00 y de 18:00 a 22:00 h.

E | TALLER SOBRE "EL AGUA"

El 4 de junio de 16 a 18 h en el Centro Cultural del Ayuntamiento, se realizará un taller para niños de entre 5 y 10 años, de manera libre y gratuita, que lleva por nombre "Cuidemos el agua".

El taller tiene el objetivo de concienciar a los niños respecto de la utilización racional del agua en la vida cotidiana.

F | MERCADILLO SIN DINERO

La Concejalía de Medio Ambiente del ayuntamiento ha organizado para el 4 de junio, en el patio del Museo Regional, un mercadillo sin dinero. Se trata de que esas cosas que se compraron en su momento y ya no se usan vuelvan a ser útiles a otros. Cada uno que lleve lo que quiera para que lo use otro.

G | JUEGOS TRADICIONALES AL AIRE LIBRE

Los juegos tradicionales van a ser los protagonistas de la mañana del Día del Medio Ambiente. Los pequeños podrán disfrutar con estos juegos clásicos, que se realizan con el propio cuerpo o con recursos fácilmente disponibles en la naturaleza (arena, piedrecitas, hojas, flores, etc.) o con objetos caseros (cuerdas, papeles, telas, hilos, botones, instrumentos reciclados procedentes de la cocina…).

H | PROYECCIÓN AUDIOVISUAL

El 5 de junio habrá una interesante proyección audiovisual de cortos de temática ambiental, incluidos en el programa de actos para la celebración del Día del Medio Ambiente. Como colofón, se repartirán plantas entre los asistentes. La proyección tendrá lugar en el salón de actos del ayuntamiento a las 19:30 h. Entrada gratuita.

I | TALLER DE COCINA SOLAR

¿Sabías que es posible cocinar con el sol exclusivamente? Además, en poco tiempo y con recetas riquísimas. Hay cocinas solares que puedes fabricar tú mismo, hasta con materiales reciclados e incluso portátiles.

El taller está abierto a todas las personas que quieran participar el 5 de junio de 12 a 15 h en la plaza Central.

J | CONCIERTO: SONIDOS DE LA TIERRA

La celebración del Día del Medio Ambiente finalizará con el concierto Sonidos de la Tierra a cargo de la orquesta juvenil "Instrumentos reciclados". Antes del concierto cada uno de los miembros nos relatará la historia de su instrumento. ¿Se imaginan cuántos instrumentos echamos a la basura sin darnos cuenta?

El 5 de junio a las 21:30 h en el Teatro Municipal.

TAREA 2

INSTRUCCIONES

Usted va a leer un texto sobre una planta autóctona de las Islas Canarias, el drago. Después, debe contestar a las preguntas (7-12). Seleccione la respuesta correcta (A, B o C).

*Marque las opciones elegidas en la **Hoja de respuestas**.*

¿UN DRAGO MILENARIO?

El drago es una planta originaria de las Islas Canarias y que alcanza una altura considerable. En los últimos años el número de ejemplares ha aumentado considerablemente por su popularidad como planta ornamental y simbólica.

El drago de Icod de los Vinos, municipio situado en el norte de la isla de Tenerife, es el más famoso y hermoso de esta especie. Fue declarado Monumento Nacional en 1917.

A este drago siempre se le ha dado una edad milenaria, unos tres mil años, pero a partir de recientes estudios se cree que su edad está entre 800 y 1000 años. Es el principal atractivo turístico de esta ciudad, pues unas 6000 personas acuden diariamente a verlo, a fotografiarse y a maravillarse de su asombrosa monumentalidad.

La fama de este árbol deriva de su longevidad, pero especialmente de la resina o jugo que produce, que se condensa y adquiere el color de la sangre. A este líquido se le atribuyen muchas propiedades curativas. Ya los romanos conocían la sangre de drago, a la que llamaban "cinnabaris", según Plinio, y venían en busca de ella a las islas para usarla con fines medicinales. Debido a esto es por lo que quedan pocos ejemplares de gran edad ya que su savia ha sido extraída con estos fines y ha producido el deterioro de la planta.

Asimismo, sobre este árbol hay muchos mitos. El más famoso es el que identifica este árbol con el mítico dragón que guardaba las manzanas de oro del Jardín de las Hespérides. Cuenta el mito que más allá de las Columnas de Hércules, lugar que los griegos situaban en el Estrecho de Gibraltar, se encontraba el famoso Jardín de las Hespérides. En este jardín había un dragón de la misma manera que en Icod hay un drago. Para entender esta relación habría que remontarse a la concepción antigua que tenían los dragones. Generalmente, en muchas mitologías mundiales aparecen como seres que guardaban o protegían doncellas, lugares o tesoros. Se lo representa como un animal feroz, que lanza fuego por su boca.

Según el escritor canario Juan Álvarez Delgado, el mítico dragón personifica una gran fuerza de la naturaleza que se podría identificar en estas islas volcánicas con la fuerza de los volcanes, ya que esa gran fuerza sale de la tierra lanzando fuego y arrasándolo todo. Por ello, es posible que en esa mentalidad antigua que todo lo personificaba, surgiera el mito del dragón en medio de una erupción volcánica, de modo que los navegantes griegos, que recorrieron las costas de las islas, en las noches de erupciones volcánicas pudieron creer que veían al dragón que se despertaba, lanzaba llamaradas y rugía defendiendo a las Hespérides.

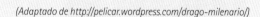

(Adaptado de http://pelicar.wordpress.com/drago-milenario/)

PREGUNTAS

7. Según el texto, el drago es...

a) la planta más abundante de las Islas Canarias.
b) el símbolo de las Islas Canarias.
c) una planta que procede de las Islas Canarias.

8. En el texto se dice que el drago de Icod de los Vinos...

a) está en el municipio más bonito de la isla de Tenerife.
b) es visitado por unas 6000 personas anualmente.
c) no es tan viejo como se creía.

9. Según lo que se dice en el texto,...

a) esta planta vive muchísimos años y por eso hay pocos dragos jóvenes.
b) este árbol es famoso sobre todo por el color de su savia.
c) los romanos descubrieron las propiedades curativas de este árbol.

10. La sangre del drago, según el texto,...

a) la usaban incluso los romanos por sus propiedades medicinales.
b) no es buena para el árbol porque lo deteriora.
c) hace que las personas vivan más años.

11. Según el texto, uno de los mitos más conocidos sobre este árbol dice que el drago...

a) era una planta del Jardín de las Hespérides.

b) se identificaba con el mítico dragón que había en el Jardín de las Hespérides.

c) protegía no solo doncellas sino también lugares y tesoros.

12. El escritor canario Juan Álvarez Delgado dice que...

a) quizás el mito del dragón surgió en el pasado por la identificación de este animal con la fuerza de los volcanes.

b) los navegantes griegos recorrían la costa de las islas en busca del dragón.

c) era por las noches cuando se despertaba el dragón y mostraba toda su fuerza.

TAREA 3

INSTRUCCIONES

Usted va a leer tres noticias con algunos datos biográficos de tres mujeres de habla hispana que han destacado en su profesión. Relacione las preguntas (13-18) con los textos (A, B o C).

*Marque las opciones elegidas en la **Hoja de respuestas.***

A. ELLEN OCHOA. LEYENDA HISPANA DE ALTOS VUELOS

Ellen Ochoa fue la primera mujer astronauta hispana en viajar al espacio y ahora es la primera hispana directora del Centro Espacial Johnson de la NASA. Hija de mexicanos y la tercera de cinco hermanos, nació y creció en California. Se unió a la NASA a finales de 1980 como ingeniera de investigación y fue escalando posiciones hasta convertirse en astronauta en julio de 1991. Tenía 34 años cuando participó en su primera misión espacial a bordo del transbordador Discovery en 1993. En total ha participado en cuatro viajes espaciales y ha acumulado más de 978 horas en el espacio. En su tiempo libre le gusta tocar la flauta, jugar al voleibol y disfrutar de sus dos hijos. También escribe artículos para revistas científicas.

B. PALOMA HERRERA. NACIDA PARA BAILAR.

Ha sido elegida por los críticos como una de los 30 artistas que cambiarán las Artes en los próximos 30 años. Esta bailarina decidió, a los siete años, que su destino definitivo sería la danza. Nunca ha vivido su carrera con sacrificio. Y tiene eso que llaman ángel o carisma.

Nació en 1975 en Buenos Aires. Inició sus estudios de *ballet* con Olga Ferri en Argentina. Siendo muy joven consiguió varios premios en concursos de América del Sur y, a la edad de once años, se trasladó para seguir sus estudios en The Minsk Ballet School de Rusia. Ingresó en el American Ballet Theatre de Nueva York cuando contaba 15 años y fue Primera Bailarina a los 19.

C. DOLORES HUERTA. UNA LUCHADORA INCANSABLE.

En 1998, fue elegida como una de las mujeres más importantes del siglo xx. Dolores Huerta nació en 1930 en un pueblo minero de Nuevo México donde su padre trabajaba en las minas de carbón. Sus padres se divorciaron cuando ella tenía tres años por eso se trasladó junto con su madre, Alicia Chávez, y sus hermanos, a una comunidad campesina en Stockton, California. En 1950, comenzó a enseñar en una comunidad de trabajadores agrícolas. Lo dejó porque no podía soportar ver a los niños con hambre y sin zapatos. Pensó que podía hacer más si organizaba a los campesinos. Así empezó una larga vida de luchas personales y políticas, con 11 hijos, 22 veces en la cárcel y muchos premios.

		A ELLEN	B PALOMA	C DOLORES
13.	¿Cuál de las tres mujeres ha viajado más allá de nuestro planeta?			
14.	¿Quién se trasladó de país por razones académicas y profesionales?			
15.	¿Cuál de las tres sufrió más cuando comenzó a trabajar?			
16.	¿Quién de estas tres mujeres ha pasado casi toda su vida en un escenario?			
17.	¿Qué mujer de las tres supo a edad temprana a qué quería dedicar su vida?			
18.	¿Cuál de las tres ha sido madre más veces?			

TAREA 4

INSTRUCCIONES

Lea el siguiente texto, del que se han extraído seis fragmentos. A continuación lea los ocho fragmentos propuestos (A-H) y decida en qué lugar del texto (19-24) hay que colocar cada uno de ellos. Hay dos fragmentos que no tiene que elegir.

Marque las opciones elegidas en la **Hoja de respuestas.**

CONSEJOS PARA VIVIR EN VERDE

Hoy más que nunca hablamos de vivir en verde. Pero ¿cómo podemos reducir nuestro consumo? En periodos de crisis económica, lo mejor que puedes hacer para tu cuenta bancaria es vivir más verde. De hecho, ...19............ . ¿Suena bien? Inténtalo con estos pasos sencillos para ayudar al planeta mientras ahorras dinero.

Compra menos. ¿Sabías que el 99% de los productos que compramos acaban en el cubo de la basura en menos de 6 meses después de su compra? Cada vez que compras algo que no necesitas, ...20............. . La próxima vez que vayas de compras, prueba este ejercicio sencillo: cuando estés a punto de comprar algo, hazte dos preguntas: ¿qué pasa si no lo compro? y ¿realmente lo necesito? Si la respuesta a esta última pregunta es "no", ...21............

Decora tu casa con plantas. Una flor en maceta embellece tu hogar y crea un ambiente más agradable y acogedor. Además, tiene muchos beneficios para la salud: ¡una sola planta en una maceta puede limpiar entre el 45 y el 80 % de los contaminantes del aire en tan solo 24 horas! Física y psicológicamente, ...22............. . Los beneficios son muchos, y ya que pasamos la mayoría de nuestro tiempo en lugares cerrados y climatizados, merece la pena comprar una o dos plantas de maceta para la casa u oficina.

Elimina las fugas de energía. En cualquier casa existen fugas de energía. Aunque quizá ninguna haga por sí sola una gran diferencia en tu recibo de la luz, la suma de estas día tras día sí se nota. Para eliminar las fugas, ...23............. .

Comparte tu coche. ¿Vives lejos de tu lugar de trabajo? Seguro que tus vecinos también. Habla con tus conocidos, y lo más probable es que encuentres a alguien que trabaja en la misma zona. Con los precios de gasolina subiendo cada vez más, nos beneficia a todos viajar juntos, ...24............. .

Si vives cerca de tu trabajo, puedes elegir ir en bicicleta o a pie: también te ayudará a estar más sano y hasta a bajar algunos kilos.

(Adaptado de http://vidaverde.about.com/od/Vida-Verde101/tp/5-Pasos-Para-Vivir-Verde.htm)

FRAGMENTOS

A. tener plantas en casa o en el lugar de trabajo nos hace sentir mejor: respiramos mejor, nos cansamos menos y nos sentimos más a gusto.

E. desenchufa los aparatos que no estés usando; sustituye las bombillas antiguas por bombillas de bajo consumo; apaga las luces cuando salgas de una habitación.

B. compartiendo el gasto de la gasolina y disminuyendo nuestra huella de carbono.

F. mejor deja el producto en la tienda y saldrás con la conciencia limpia y más dinero en el bolsillo.

C. duran hasta ocho veces más y consumen la quinta parte de energía para dar la misma cantidad de luz.

G. estás dañando el medio ambiente y desperdiciando dinero que podrías dedicar a algo más importante.

D. mejorar nuestros hábitos a favor del medio ambiente nos puede ahorrar dinero, además de asegurar un futuro sano y limpio para nuestros hijos.

H. toda la casa puede quedar perfectamente limpia con jabón, bicarbonato, vinagre y limón.

TAREA 5

INSTRUCCIONES

Lea el siguiente correo electrónico donde se solicita un puesto de trabajo anunciado en la prensa y rellene los huecos (25-30) con la opción correcta (A, B o C).

Marque las opciones elegidas en la **Hoja de respuestas.**

Estimada Sra. Bueno:

Escribo esta carta como respuesta al anuncio publicado en el periódico *La Voz*, con fecha del 25 de mayo, en el que se solicitan personas con máster en Periodismo de Viajes y que ......25...... experiencia no solo en el ámbito de la redacción sino también en el del reportaje fotográfico. ......26...... envío junto a esta carta mi currículum vitae así como algunas cartas de recomendación de las diferentes revistas y periódicos con los que he colaborado a lo largo de 10 años en el mundo de la información y algunos de mis trabajos. Casualmente ......27...... en el mundo de la información en su periódico como becaria mientras estaba terminando mis estudios.

Como podrá comprobar, he trabajado interrumpidamente ......28...... entonces hasta esta semana debido a que la revista para la que trabajaba ha tenido que cerrar. Esta es la razón por la que solicito el puesto. Además de mi experiencia, tal y como pone en mi currículum, hablo inglés, alemán, francés y un poco de chino, por lo que no tengo ......29...... inconveniente en viajar a países donde se hablen estos idiomas. Espero que mi perfil ......30...... el apropiado para el puesto que ofrece su periódico.

Quedo a su disposición para cualquier pregunta o duda.

Atentamente,

Elena Ruano Mota

OPCIONES

25. a) tienen
b) tengan
c) tendrán

26. a) Le
b) La
c) Lo

27. a) he comenzado
b) comencé
c) comenzaba

28. a) desde
b) por
c) de

29. a) un
b) algún
c) ningún

30. a) sea
b) es
c) será

PRUEBA DE COMPRENSIÓN AUDITIVA

Duración de la prueba: 40 minutos

Número de ítems: 30

TAREA 1

 INSTRUCCIONES

Usted va a escuchar seis mensajes de un buzón de voz. Escuchará cada llamada dos veces. Después debe contestar a las preguntas (1-6). Seleccione la opción correcta (A, B o C).

Marque las opciones elegidas en la **Hoja de respuestas.**

Tiene 30 segundos para leer las preguntas.

PREGUNTAS

MENSAJE 1

1. ¿Para qué llama Laura a su madre?

a) Para decirle que no quiere ir a comer a casa.

b) Para informarle de que se va a quedar en la universidad.

c) Para que no se preocupe si llega tarde a comer.

MENSAJE 2

2. ¿Qué le pide Javier a Raúl?

a) Que se vaya con él y una amiga de acampada.

b) Que le devuelva su casa de campaña.

c) Que le deje una casa de campaña.

MENSAJE 3

3. ¿Por qué llaman a la señora Josefa Rodríguez?

a) Porque la cita con el médico será dos horas más tarde de lo previsto.

b) Para que pida una nueva cita con el dermatólogo.

c) Para decirle que el día que la habían citado ha cambiado.

MENSAJE 4

4. ¿Qué le ha pasado a Bego?

a) Se ha separado de Fran.

b) No le han concedido el préstamo para la hipoteca.

c) La han despedido del trabajo.

MENSAJE 5

5. ¿Qué tendrá que hacer Roberto si sigue interesado en el puesto de trabajo?

a) Acudir a una entrevista.

b) Esperar a que le llamen de nuevo.

c) Pasar por un proceso de selección.

MENSAJE 6

6. ¿Qué le desea Pau a Iñaki?

a) Que le llame o le mande un mensaje.

b) Que consiga la beca como él.

c) Que pasen las vacaciones juntos.

TAREA 2

 **INSTRUCCIONES**

Usted va a escuchar un fragmento del programa "Cosas que nos cambian la vida". Escuchará la audición dos veces. Después debe contestar a las preguntas (7-12). Seleccione la opción correcta (A, B o C).

Marque las opciones elegidas en la Hoja de respuestas.

Tiene 30 segundos para leer las preguntas.

PREGUNTAS

7. En la audición, Vicente comenta que cuando estaba en el instituto...

a) quería estudiar Informática o Ingeniería.

b) no le apasionaba mucho ir a clase.

c) le aburría la gente de su edad.

8. Según la grabación, Vicente entró en contacto con el teatro...

a) en las clases de literatura y cultura clásica.

b) porque no quería seguir estudiando.

c) cuando tenía 15 años.

9. Vicente, en la audición, dice que con el teatro...

a) se conoció mejor a sí mismo mejor.

b) apenas cambió su carácter.

c) dejó de tener problemas.

10. Según lo que comenta Vicente en la grabación, en el teatro...

a) nadie es imprescindible.

b) suele llorar después de una representación.

c) se emociona mientras actúa.

11. A sus veintidós años, según se dice en la audición, Vicente...

a) todavía sigue estudiando una carrera que le gusta.

b) ha conseguido un trabajo fijo como actor.

c) ya ha terminado los estudios de Artes Escénicas.

12. Según lo que comenta Vicente en la grabación, en la carrera de Artes Escénicas...

a) no te enseñan solo a actuar.

b) aprendes a amar el teatro.

c) tienes que elegir una especialización entre tres opciones.

TAREA 3

 **INSTRUCCIONES**

Usted va a escuchar seis noticias del programa de radio "En Canarias una hora menos". Escuchará las noticias dos veces. Después debe contestar a las preguntas (13-18). Seleccione la respuesta correcta (A, B o C).

Marque las opciones elegidas en la Hoja de respuestas.

Tiene 30 segundos para leer las preguntas.

PREGUNTAS

NOTICIA 1

13. En el municipio de Santa María de Guía...

a) se va a celebrar la primera edición de la fiesta del queso.

b) durante tres días va a haber degustaciones de quesos.

c) va a haber actuaciones musicales.

NOTICIA 2

14. El blog "Lavadora de textos"...

a) se ocupa de temas relacionados con la cultura del español.

b) ha ganado un premio por ser el más votado entre sus lectores.

c) participa en un concurso de blogs.

NOTICIA 3

15. El científico canario Blas Cabrera...

a) fue muy conocido tanto dentro como fuera de España.

b) fue rector de la Universidad de La Laguna.

c) murió fuera de España cuando estaba en el exilio.

NOTICIA 4

16. El Festival de Cine de Lanzarote...

a) celebrará su primera edición.

b) es una cita con el cine no solo español sino también internacional.

c) dará a conocer al público más de cien cortos.

NOTICIA 5

17. En la nueva edición del Mountain Bike Maratón...

a) los participantes tendrán que realizar tres recorridos diferentes.

b) habrá deportistas de diferentes nacionalidades.

c) se espera que haya casi dos mil espectadores.

NOTICIA 6

18. El Gobierno de Canarias, a causa del viento y de la lluvia,...

a) ha declarado en situación de emergencia todas las Islas Canarias excepto dos.

b) ha anunciado que finalizará la situación de emergencia a partir de las cinco de la tarde.

c) ha decidido que no abran mañana los centros educativos de las islas.

TAREA 4

 INSTRUCCIONES

Usted va a escuchar a siete personas que hablan de cómo y cuándo aprendieron algunas de sus aficiones. Escuchará a cada persona dos veces. Seleccione el enunciado (A-J) que corresponde al tema del que habla cada persona (19-24). Hay diez enunciados incluido el ejemplo. Seleccione solamente seis.

Marque las opciones elegidas en la Hoja de respuestas.

Ahora escuche el ejemplo:

Ejemplo: Persona 0:

La opción correcta es la **D**.

	A	B	C	D	E	F	G	H	I	J
0.				▨						

Tiene 20 segundos para leer los enunciados.

	ENUNCIADOS
A.	El cine y la música fueron sus herramientas para aprender.
B.	Superó un problema gracias a los consejos de una persona.
C.	Estaba ya en la adolescencia cuando se atrevió a aprender.
D.	Obras de grandes artistas formaron parte de su aprendizaje.
E.	Lo suele practicar en familia.
F.	Su pasión literaria comenzó a muy corta edad.
G.	No consiguió aprender nunca.
H.	Aprende y practica en casa.
I.	Su afición comenzó por un accidente.
J.	Ha aprendido muchas modalidades.

	PERSONA	ENUNCIADO
	Persona 0	D
19.	Persona 1	
20.	Persona 2	
21.	Persona 3	
22.	Persona 4	
23.	Persona 5	
24.	Persona 6	

TAREA 5

 INSTRUCCIONES

Usted va a escuchar una conversación entre dos compañeros universitarios, Miguel y Leire. Indique si los enunciados (25-30) se refieren a Miguel (A), a Leire (B) o a ninguno de los dos (C). Escuchará la conversación dos veces.

*Marque las opciones elegidas en la **Hoja de respuestas.***

Tiene 25 segundos para leer los enunciados.

		A Miguel	B Leire	C Ninguno
0.	Le preocupa su futuro.	X		
25.	No quiere dejar de estudiar por el momento.			
26.	Piensa independizarse de su familia ya.			
27.	Le parece muy probable encontrar trabajo.			
28.	No piensa quedarse en España.			
29.	No le gusta nada la idea de marcharse al extranjero.			
30.	Cree que lo mejor es que pidan la beca juntos.			

PRUEBA DE EXPRESIÓN E INTERACCIÓN ESCRITAS

Duración de la prueba: 60 minutos

TAREA 1

INSTRUCCIONES

Usted ha escrito a una agencia que se encarga de buscar alojamiento a estudiantes extranjeros porque desea colaborar ofreciendo su casa. La agencia le responde pidiéndole detalles sobre su casa y su familia:

Estimado Sr. Mateo:

Queríamos comentarle que para la agencia son muy importantes no solo las características de la casa y su ubicación, sino también las de la familia de acogida. Por eso nos gustaría tener más detalles para valorar si su hogar cumple con los requisitos de nuestra agencia.

En cuanto tengamos una información más detallada sobre su hogar y su familia, nos pondremos en contacto con usted para darle nuestra respuesta.

Atentamente,

Sra. Cristina Bermúdez

Dra. Hogar del Estudiante

Escríbale un correo electrónico a la agencia. En él deberá:

– identificarse y explicar por qué escribe;

– decir qué tipo de casa tiene y describir con detalle su distribución y mobiliario;

– describir el tipo de familia que tiene y su profesión;

– especificar por qué quiere alojar a un estudiante;

– valorar positivamente su ofrecimiento justificándolo y despedirse.

Número de palabras: entre 100 y 120.

TAREA 2

INSTRUCCIONES

Elija solo una de las dos opciones que se le ofrecen a continuación:

OPCIÓN 1

Lea lo que ha escrito una persona en el muro de una red social:

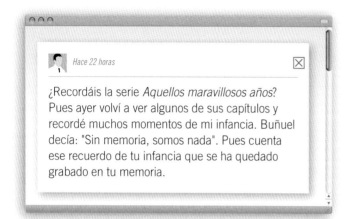

Hace 22 horas

¿Recordáis la serie *Aquellos maravillosos años*? Pues ayer volví a ver algunos de sus capítulos y recordé muchos momentos de mi infancia. Buñuel decía: "Sin memoria, somos nada". Pues cuenta ese recuerdo de tu infancia que se ha quedado grabado en tu memoria.

Escriba un comentario donde:

– *diga si conoce la serie o no u otra parecida;*

– *describa cuál es el mejor recuerdo que tiene de su infancia y por qué;*

– *explique con detalle las circunstancias de su recuerdo: cuándo, dónde, con quién, etc.;*

– *comente si a usted le gusta o no recordar el pasado y por qué.*

Número de palabras: entre 130 y 150.

OPCIÓN 2

Lea el siguiente anuncio aparecido en un periódico local:

NUESTRA CIUDAD CON EL DEPORTE

Como ya sabéis, nuestro ayuntamiento está haciendo un gran esfuerzo para que la ciudad disponga de toda la infraestructura necesaria para la práctica de deportes. Queremos saber su opinión sobre esta iniciativa y la importancia de que se promueva el deporte en nuestra ciudad.

Redacte un texto para responder a este anuncio e inscribirse en el que deberá:

– *presentarse;*

– *dar su opinión sobre la iniciativa del ayuntamiento y si es importante o no;*

– *decir si practica usted o alguien de su familia algún deporte: con qué frecuencia y dónde;*

– *proponer alguna instalación deportiva que no existe en su ciudad pero que le parece necesaria.*

Número de palabras: entre 130 y 150.

PRUEBA DE EXPRESIÓN E INTERACCIÓN ORALES

Duración de la prueba: 15 minutos + 15 minutos de preparación

TAREA 1

INSTRUCCIONES

Le proponemos dos temas con algunas indicaciones para preparar una exposición oral. Elija uno de ellos. El entrevistador no intervendrá en esta parte de la prueba.

Duración aproximada de la prueba: 2-3 minutos

EJEMPLO DE TEMA

Internet en su vida

Incluya información sobre:
- qué papel tiene internet hoy en día y en particular en su vida;
- para qué utiliza internet habitualmente y cuánto tiempo dedica al día;
- qué ha facilitado en la vida personal y laboral de la gente internet;
- qué hábitos de su vida han cambiado con internet.

No olvide:
- diferenciar las partes de su exposición: introducción, desarrollo y conclusión final;
- ordenar y relacionar bien las ideas;
- justificar sus opiniones.

TAREA 2

INSTRUCCIONES

Cuando haya terminado su exposición (Tarea 1), usted deberá mantener una conversación con el entrevistador sobre el mismo tema.

Duración aproximada de la prueba: 3-4 minutos

EJEMPLOS DE PREGUNTAS DEL ENTREVISTADOR:
- ¿Usted tiene internet en casa? ¿Desde cuándo? ¿Y la gente que conoce?
- ¿Para qué utiliza internet? ¿Con qué frecuencia? ¿Lo utiliza también desde el teléfono móvil?
- ¿Cómo ha cambiado la forma de estudiar y trabajar internet? ¿Puede poner algún ejemplo?
- ¿Conoce alguna red social o blog? ¿Participa de alguna manera en ellos?

TAREA 3

INSTRUCCIONES

Le proponemos dos fotografías para esta tarea. Elija una de ellas y obsérvela con detalle.

Duración aproximada de la prueba: 2-3 minutos

FOTOGRAFÍA 1:

Describa con detalle, durante 1 o 2 minutos, lo que ve en la foto y lo que imagina que está ocurriendo.

Estos son algunos aspectos que puede comentar:

– Las personas: dónde están, cómo son, qué hacen.

– El lugar en que se encuentran: ¿cómo es?

– ¿Qué relación cree que existe entre estas personas?

– ¿De qué cree que están hablando?

Posteriormente, el entrevistador le hará algunas preguntas.

EJEMPLOS DE PREGUNTAS DEL ENTREVISTADOR:

– ¿Ha estado usted en algún lugar parecido al de la imagen?

– ¿Suele ir mucha gente a ellos? ¿Cuándo? ¿Qué hace en esos lugares?

– ¿Están limpios normalmente o no? ¿Por qué?

– ¿Usted ha participado en alguna campaña para limpiar el medio ambiente? Si no ha participado, ¿le gustaría?

– ¿Qué consejos daría usted a las personas para que los espacios naturales estén limpios?

FOTOGRAFÍA 2:

Describa con detalle, durante 1 o 2 minutos, lo que ve en la foto y lo que imagina que está ocurriendo.

Estos son algunos aspectos que puede comentar:

- Las personas: dónde están, cómo son, qué hacen.
- El lugar en que se encuentran: ¿cómo es y qué hay?
- ¿Qué relación cree que existe entre estas personas?
- ¿De qué cree que están hablando?

Posteriormente, el entrevistador le hará algunas preguntas.

La duración total de esta tarea es de 2 a 3 minutos.

EJEMPLOS DE PREGUNTAS DEL ENTREVISTADOR:

- ¿A usted le interesan los temas relacionados con la alimentación? ¿Por qué?
- ¿En su país cuáles son los hábitos alimenticios y los horarios de las comidas más comunes?
- ¿Suele comer en casa o fuera? ¿Por qué?
- ¿Cuál es su comida favorita? ¿Cuándo fue la última vez que la comió?
- ¿Ha probado la comida de otro país? ¿Cuándo? ¿Cómo fue la experiencia?

TAREA 4

INSTRUCCIONES

Usted debe dialogar con el entrevistador en una situación simulada durante dos o tres minutos.

Duración aproximada de la prueba: 2-3 minutos

EJEMPLO DE SITUACIÓN

Usted fue a pasear por la playa y estaba todo sucio con mucha basura acumulada. Usted va al ayuntamiento para quejarse de la situación para que la Concejalía de Medio Ambiente solucione el problema.

Durante la conversación con el empleado del ayuntamiento debe:

- explicar por qué ha ido al ayuntamiento;
- decir dónde estuvo paseando y cuándo;
- describir en qué condiciones estaba el lugar;
- explicarle cuál es el problema;
- quejarse por la falta de interés del ayuntamiento ante la situación hasta ahora y pedirle una solución.

EJEMPLOS DE PREGUNTAS DEL ENTREVISTADOR:

- Hola, buenas días. ¿En qué puedo ayudarle?
- ¿Adónde dice que fue a pasear? ¿Cuándo...?
- Y dígame, ¿cuál es el problema?

PRUEBA DE COMPRENSIÓN DE LECTURA

Duración de la prueba: 70 minutos

Número de ítems: 30

TAREA 1

INSTRUCCIONES

Usted va a leer seis enunciados que hacen referencia a los mensajes personales que ha recibido una persona en su cuenta de correo electrónico. Relacione los enunciados (1-6) con los mensajes personales electrónicos (A-J). Hay tres textos que no debe relacionar.

*Marque las opciones elegidas en la **Hoja de respuestas**.*

ENUNCIADO	TEXTO
0	C
1	
2	
3	
4	
5	
6	

ENUNCIADO 0

Le han avisado de que en un nuevo correo electrónico recibirá lo que necesita, pero tendrá que consultar información en el enlace que le indican.

ENUNCIADO 1

Una persona le invita a ir con él a un espectáculo, si no tiene ningún otro asunto que se lo impida.

ENUNCIADO 2

Una empresa anuncia precios especiales en sus productos, los cuales suelen adquirirse, entre otras cosas, para mostrar agradecimiento y alegrar a los que los reciban.

ENUNCIADO 3

Un compañero le informa sobre algunos asuntos laborales y sobre el día y la hora previstos para hablar de ellos, y desea que todo salga bien.

ENUNCIADO 4

Un familiar le comunica que se casa pero que no será por la iglesia. Le pregunta si le gustaría ser una de las personas que necesitan para ese día.

ENUNCIADO 5

Le informan de que ya no es necesario que se vean, pero que si le interesa algo de lo que le proponen, pueden buscar otro día para quedar y enseñárselo.

ENUNCIADO 6

Le comunican el día y la hora de la reunión que suelen hacer anualmente en la que también aprovecharán para hacer un entrenamiento.

A

De: El jardín del Edén

Asunto: Flores frescas de calidad

Estimado cliente:

Hoy le ofrecemos un 30% de descuento, pero cada fin de semana le haremos las mejores ofertas para que pueda repartir sonrisas por todas partes.

▸ ¿Quiere dar las gracias a alguien?
▸ ¿Ha conocido a una persona y quiere darle una sorpresa?
▸ ¿Quiere simplemente que alguien sonría?

Díganos por qué y deje las flores en nuestras manos.

B

De: Josu

Asunto: Entrada para concierto

Fran, que la semana pasada me dieron un par de entradas para el concierto en el Auditorium, pero es esta noche. Se me había pasado completamente.
¿Tienes planes? Podrías acompañarme y, después del concierto, podemos ir a tomar algo por ahí. ¿Te animas?

Josu

C

De: Utopitel

Asunto: Confirmación de reserva

Estimado Sr. Francisco Alvar:

Le damos las gracias por haber utilizado nuestros servicios y por escogernos.

Este es un email de confirmación de reserva. En las próximas 24 horas recibirá un cupón que deberá imprimir y presentar en la recepción del hotel.

Para los detalles de su reserva entre en la página web de www.utopitel.difu con sus datos de usuario.

D

De: Antonio

Asunto: Reunión fecha de vacaciones

Oye, Fran, que no olvides que el jueves a las 17 h tenemos una reunión para decidir las fechas de las vacaciones. Puedes indicar tus preferencias en el documento compartido con el calendario que ha creado Almudena en la Intrared de la empresa. Espero que no tengamos problemas como el año pasado y nos pongamos de acuerdo.

E

De: Inmobiliaria Todohogar

Asunto: Cita cancelada

Este mensaje es para comunicarle que la casa que íbamos a mostrarle este jueves ha sido vendida, por lo que cancelamos la cita. Le enviamos un enlace con la información de otras viviendas que hemos seleccionado para usted y que creemos que pueden ser de su interés. Escríbanos si hay alguna que le guste para concertar una nueva cita.

F

De: Javier

Asunto: Un favor

Hola, Francisco:
Mira, te quería pedir un favor. Resulta que esta noche vienen unos clientes y hay que ir a recogerlos al aeropuerto, pero me ha surgido un compromiso familiar. ¿Podrías ir tú, por favor? A las nueve de la noche tiene prevista la llegada el avión desde Bruselas. Llámame y te cuento.
Un abrazo,
Javier

G

De: Escuela infantil

Asunto: Reunión de padres

Estimados papás y mamás del grupo de 4 años, les informo de que el próximo 12 de junio a las cinco de la tarde tendrá lugar la reunión de padres del tercer semestre.
La orden del día será:
- Información sobre la consecución de los objetivos y marcha de la clase.
- Fiesta de fin de curso.
Un saludo y hasta el día 12.

H

De: Asociación Deportiva Juventud

Asunto: Partido de fútbol

Queridos amigos:
Como cada año estamos organizando nuestro tradicional partido de fútbol solidario. Este año se recaudarán fondos para ayudar a la construcción de la piscina municipal. Queremos seguir contando con vuestra participación. Para hablar de todos estos asuntos y entrenar, nos reuniremos el domingo por la mañana a las 11 en el campo de fútbol.
Saludos,
Asociación Deportiva Juventud

I

De: Antón

Asunto: ¡Boda de tu primo!

Hola, primo:
Que me caso. ¿Sorprendido? Claro, cómo no lo vas a estar, si nos vimos el sábado pasado y no te dije nada. Pues esta vez va en serio. Queremos formalizar la relación por lo civil, sobre todo por Ángela, que quiere ir a la boda de sus papás. ¿Quieres ser tú uno de nuestros testigos? Piénsatelo.
Hablamos.
Antón

J

De: Todolibros

Asunto: Aniversario Todolibros

Estimado/a usuario/a de Todolibros:
Queremos celebrar contigo el tercer aniversario de nuestra editorial con una gran oferta en la compra de libros. Desde hoy hasta el 31 de diciembre por la adquisición de al menos 2 libros, la editorial te hará un descuento del 50%.
No desaproveches esta oferta.
¡Un saludo del equipo de Todolibros!

Todolibros

TAREA 2

INSTRUCCIONES

Usted va a leer un texto sobre el pueblo mapuche. Después, debe contestar a las preguntas (7-12). Seleccione la respuesta correcta (A, B o C).

Marque las opciones elegidas en la **Hoja de respuestas**.

Semillas de Chile

El pueblo mapuche es una de las etnias más numerosas de América. Sus orígenes proceden de los antiguos cazadores que colonizaron este continente hace más de diez mil años, quienes fueron los primeros en habitar los bosques templados en la zona austral de Sudamérica.

A la llegada de los conquistadores europeos, en el siglo XVI, ya eran horticultores que vivían dispersos en un hermoso lugar de bosques, lagos y volcanes. Entre sus logros culturales más importantes, se encuentra la domesticación de la papa, uno de cuyos centros de origen se encuentra precisamente en esta zona. La primera gallina doméstica americana también ha sido registrada en tierra mapuche.

Los mapuches opusieron una larga y firme resistencia a diferentes avances conquistadores por espacio de varios siglos. Finalmente fueron dominados y sus tierras ocupadas a fines del siglo XIX por el Gobierno de Chile. Desde entonces, han seguido la suerte de casi todos los pueblos originarios de América, han sufrido problemas de discriminación y les han quitado sus tierras. A pesar de ello, aún conservan su lengua y sus costumbres y luchan por recuperar las tierras ancestrales perdidas.

Hoy sus voces son escuchadas por el Estado y por los chilenos; su representación en la sociedad y en la política nacionales son cada día más relevantes.

La exhibición que presentamos quiere mostrar las diferentes etapas de la historia de este pueblo, desde los primeros horticultores de hace 1500 años hasta hoy. Se destacan aspectos estéticos como el arte textil y la extraordinaria platería, que surgió espontáneamente por la abundancia de monedas de plata que los indígenas manejaban, producto del contrabando de animales y la guerra.

También se quiere mostrar la poesía, que los mapuches cultivan hasta el día de hoy, el arte chamánico y la música. La identificación de este pueblo con el pueblo chileno es estrecha. Hace medio milenio, la lengua mapuche o mapudungun se hablaba en la mayor parte del territorio chileno, entre el río Choapa y el golfo de Reloncaví, y los primeros estudiosos llamaron a este idioma "la lengua de Chile".

Además, los mapuches son el grupo étnico más numeroso del país y su fusión con otros grupos humanos que habitan este país forma la base de esta nación, en su mayoría mestiza. Ello justifica el nombre de esta exhibición, "Mapuche: semillas de Chile", que tenemos el orgullo de presentar en el nuevo Museo del Oro del Banco de la República, uno de los lugares culturales mundialmente reconocidos de la hermana república de Colombia.

(Adaptado de http://www.precolombino.cl/biblioteca/mapuche-semillas-de-chile/)

PREGUNTAS

7. El pueblo mapuche, según el texto,...

a) fue de los primeros en instalarse en Sudamérica.
b) tiene un origen bastante reciente.
c) siempre vivió en el mismo continente.

8. En el texto se afirma que los mapuches...

a) se hicieron agricultores cuando llegaron los conquistadores españoles.
b) no fueron los primeros en cultivar la papa y domesticar la gallina.
c) ya se habían hecho horticultores en el siglo XVI.

9. En el texto se informa de que en la exhibición...

a) se puede ver la evolución histórica del pueblo mapuche.
b) se mostrarán obras artísticas desde hace más de un milenio hasta hoy.
c) habrá monedas de plata que usaban los mapuches.

10. Según lo que se dice en el texto, los mapuches...

a) perdieron sus tierras y su lengua, pero todavía luchan por recuperarlas.
b) no han tenido la suerte de otros pueblos indígenas.
c) resistieron durante varios siglos hasta ser dominados.

11. En el texto se menciona que los mapuches tenían su propia lengua...

a) que se hablaba hace unos siglos en casi todo el territorio chileno.
b) que los unía y hacía sentirse chilenos.
c) y ellos mismos la denominaron "la lengua de Chile".

12. Según el texto, la exhibición "Mapuche: semillas de Chile"...

a) se podrá ver en museos de diferentes países.
b) debe su nombre a que los mapuches fueron los que más años habitaron este país.
c) se expone en un importante museo de Colombia.

TAREA 3

INSTRUCCIONES

Usted va a leer fragmentos de las páginas web de tres excursionistas que cuentan su última anécdota.

Relacione las preguntas (13-18) con los textos (A, B o C).

Marque las opciones elegidas en la Hoja de respuestas.

ANEKA

A. Aventura en la nieve con final feliz.

Hoy es martes y estamos sanos y salvos. Nos han rescatado en helicóptero. El viernes por la tarde emprendí una excursión por la montaña con mis compañeros senderistas. Éramos quince en total. Llegamos con buen tiempo, pero la mañana del sábado todo había cambiado. La nevada y el fuerte viento hacían imposible la ruta así que decidimos volver a casa. A los doscientos metros se quedó atascado uno de los coches. Regresamos al refugio e intentamos inútilmente establecer comunicación. No había cobertura. Conseguimos contactar el domingo. El rescate no ha sido fácil por culpa del mal tiempo, pero ya estamos todos en casa, incluido un compañero al que se le había terminado la medicación para su arritmia cardiaca.

MAURO

B. Excursión al volcán Barú de Panamá bien acompañado.

Ayer subí al volcán Barú con un guía. La subida fue dura, pues tardamos ocho horas y media y aún quedaba la bajada. Una pantera nos empezó a acompañar y, además, se puso a llover abundantemente. Se hizo de noche, encendimos las linternas y entonces vimos dos ojos verdes que nos observaban de cerca. Intentábamos ir rápido. Un par de veces resbalé. Seguimos y al rato vimos el todoterreno aparcado. Nos metimos dentro y cerramos las puertas. La pantera paseó alrededor del coche y se fue. En el hotel me di cuenta de lo cansado que estaba. Habíamos caminado quince horas y con la lluvia y la tensión estaba agotado, pero la excursión y la pantera merecieron la pena.

ÓSCAR

C. "Perdido" en el desierto de Atacama

La semana pasada "estuve perdido" en el lugar más solitario y antiguo del mundo: el desierto de Atacama. Todo comenzó como una simple excursión, un paseo de un par de horas entre la ciudad de Iquique y el pueblo de Pica, donde me bañé en sus pozas termales. Al volver, el autobús que nos llevaba tuvo un problema y quedó atascado al lado de la carretera. Tardaron varias horas en "rescatarnos", así que perdí el enlace con el autobús que me iba a llevar desde Iquique a Antofagasta. Pero estar completamente "perdido" en el desierto me permitió ver unos paisajes únicos y sentir la sensación de soledad y de aislamiento. Así pues, valió la pena. Y mucho...

		A. ANEKA	B. MAURO	C. ÓSCAR
13.	Las circunstancias cambiaron sus planes, pero disfrutó mucho con la experiencia.			
14.	No volvieron a casa por carretera.			
15.	Las condiciones meteorológicas no hicieron fácil el rescate.			
16.	Tuvo que andar mucho, pero la valoración que hace de la excursión es positiva.			
17.	Ese lugar transmitía algo único.			
18.	Estuvo muy cerca de ellos durante todo el camino, pero no los atacó.			

TAREA 4

INSTRUCCIONES

Lea el siguiente texto del que se han extraído seis fragmentos. A continuación lea los ocho fragmentos propuestos (A–H) y decida en qué lugar del texto (19-24) hay que colocar cada uno de ellos. Hay dos fragmentos que no tiene que elegir.

*Marque las opciones elegidas en la **Hoja de respuestas.***

La salud y la enfermedad en el siglo XXI

"La salud no es solo la ausencia de enfermedad. Una persona sana es aquella que disfruta de bienestar físico, mental y social". Así lo define la OMS (Organización Mundial de la Salud). Y en ese sentido se orienta la medicina en el siglo XXI.

Estar sano hoy tiene que ver con una armonía entre lo físico, lo psíquico y lo emocional. Esta concepción amplia de la salud tiene en cuenta que ....19...........

El estrés laboral, por ejemplo, aumenta el peligro de sufrir infartos, por lo que es considerado un factor de riesgo así como el sedentarismo o la mala alimentación. En cambio, algo tan simple como la risa puede ayudar a alcanzar y mantener esa armonía. Según investigaciones de la Universidad de Stanford, reír 30 veces al día ....20...........

Esta es la idea de salud que sostiene la psiconeuroinmunoendocrinología, el área de la medicina que combina psicología, psiquiatría, neurología, inmunología y endocrinología. Desarrollada sobre el hecho de que ....21........... Esta disciplina apunta al estudio del sistema nervioso y cómo los pensamientos, las emociones y los sentimientos influyen en la salud. Solo así puede comprenderse qué es ser una persona sana hoy. Y aspirar a serlo.

Cinco claves para vivir más

▶ Buena alimentación. Se sabe que una alimentación saludable y variada ayuda a prevenir enfermedades, mantenerse en forma y retardar los efectos del envejecimiento. En la dieta está, entonces, la primera clave para vivir más.

▶ Actividad física constante. No solo para cuidar la figura. También ....22........... Para vivir más y mejor, la actividad física es esencial.

▶ Vida familiar y social. La OMS considera al entorno familiar un elemento esencial para la salud de todo individuo. Por lo tanto, si los afectos influyen en el estado de salud, ...23...........

▶ Actitud positiva. Más risa, menos estrés. Parece un tema menor, pero ....24........... Por qué no tenerlos en cuenta, entonces, cuando se trata de vivir más y mejor.

▶ Mente entrenada. Leer, estudiar, desafiar al intelecto, desarrollar la curiosidad. Mantener la mente activa permite conservar la memoria y la lucidez, aspectos fundamentales para quienes aspiran a la longevidad.

(Adaptado de http://www.entremujeres.com/vida-sana/salud/)

FRAGMENTOS

A. no puede estudiarse un órgano o una parte del cuerpo sin tener en cuenta a la persona en su totalidad, en su relación cuerpo y mente.

B. el optimismo y el buen ánimo contribuyen con el estado de bienestar general.

C. la esperanza de vida ha experimentado un aumento notable, especialmente en las últimas décadas de este siglo.

D. para mantener la vitalidad, ayudar al sistema cardiorrespiratorio y contribuir al bienestar general.

E. las emociones y el contexto social influyen en el bienestar de las personas.

F. cuidarlos es también una de las claves para vivir más.

G. se produce en la medida en que mejora la salud y el bienestar de la sociedad.

H. contribuye al buen estado de salud física y mental y constituye una defensa contra la ansiedad y el estrés.

TAREA 5

INSTRUCCIONES

Lea el siguiente correo electrónico personal y rellene los huecos (25-30) con la opción correcta (A, B o C).
*Marque las opciones elegidas en la **Hoja de respuestas.***

Hola, Vera:

Te quería haber llamado, pero nos vamos a enrollar como siempre y te vas a agobiar aún más por lo del examen de mañana y por lo de los exámenes finales, por eso te escribo. Te he visto muy nerviosa, más de lo habitual, y ....25.......... acabo de leer un artículo de una psicóloga con consejos que me parecen muy buenos para la época de exámenes. Te cuento algunos, ¿vale? Pues esta psicóloga dice que todos necesitamos una cantidad de estrés o energía para hacer cualquier actividad, pero que el nivel de ansiedad ....26.......... ser óptimo, ella lo llama "motivación" porque así ....27.......... realizamos con éxito. En cambio, si esta energía sobrepasa los límites, empiezan a aparecer pensamientos negativos. Tú hoy has dicho no sé cuántas veces "No voy a aprobar.", así que te aconsejo que ....28.......... este pensamiento en algo positivo real. Repite las frases: "La asignatura es complicada, pero he superado otras.", "Si me equivoco, aprenderé de ello.". Otro de los consejos es que hay que tomar ....29.......... con los amigos después de cada examen. Mañana por la tarde, ...30.......... de estudiar. Y piensa que nos va a salir fenomenal el examen.

Un beso,

Lidia

OPCIONES

25. a) porque	**26.** a) debe	**27.** a) lo	**28.** a) conviertes	**29.** a) algo	**30.** a) olvida
b) como	b) hay que	b) nos	b) conviertas	b) algún	b) te olvides
c) aunque	c) tiene	c) la	c) convertirás	c) alguno	c) olvídate

PRUEBA DE COMPRENSIÓN AUDITIVA

Duración de la prueba: 40 minutos
Número de ítems: 30

TAREA 1

 **INSTRUCCIONES**

Usted va a escuchar seis anuncios publicitarios. Escuchará cada anuncio dos veces. Después debe contestar a las preguntas (1-6). Seleccione la opción correcta (A, B o C).

*Marque las opciones elegidas en la **Hoja de respuestas.***

Tiene 30 segundos para leer las preguntas.

PREGUNTAS

ANUNCIO 1

1. ¿Por qué hay que ir a Cantabria según el anuncio?

a) Para visitar sus monumentos.
b) Para disfrutar de sus muchas y variadas playas.
c) Por su gran cantidad de ríos situados en paraísos naturales.

ANUNCIO 2

2. ¿Qué ofrece como destino turístico Castilla y León?

a) Rutas culturales para descubrir su historia.
b) Sol y playa en sus costas.
c) Diferentes actividades para realizar en la naturaleza.

ANUNCIO 3

3. ¿Qué se puede hacer a caballo en Cataluña?

a) Conocer muchos de los paisajes de sus provincias.
b) Recorrer cuatro de sus ciudades más importantes.
c) Escalar sus montañas y bañarse en sus playas.

ANUNCIO 4

4. ¿Por qué ir a Andalucía significa dar un paseo por la Historia?

a) Porque se pueden conocer sus ocho provincias.
b) Porque tres de sus ciudades conservan riquezas de los árabes.
c) Por sus monumentos de gran valor histórico.

ANUNCIO 5

5. ¿Qué ofrece Madrid en su Paseo del Arte?

a) Obras de los mejores pintores de los últimos dos siglos.
b) Un encuentro con lo mejor de la historia del arte español.
c) Sus más de tres museos dedicados a la pintura universal.

ANUNCIO 6

6. ¿Por qué es ideal recorrer las Islas Baleares en bicicleta?

a) Porque hay rutas ideadas para disfrutar de su paisaje.
b) Porque su geografía permite hacer cicloturismo.
c) Porque no hay muchas montañas.

TAREA 2

 INSTRUCCIONES

Usted va a escuchar un fragmento del programa "Aventuras en solitario". Escuchará la audición dos veces. Después debe contestar a las preguntas (7-12). Seleccione la respuesta correcta (A, B o C).

*Marque las opciones elegidas en la **Hoja de respuestas.***

Tiene 30 segundos para leer las preguntas.

PREGUNTAS

7. Laura, en la grabación, comenta que su primer viaje sola como mochilera...

a) fue gracias al apoyo de sus padres.

b) lo realizó en caravana un verano.

c) lo hizo, en parte, por la recomendación de un amigo.

8. Según dice Laura en la audición, fue un viaje...

a) en el que conoció a mucha gente peruana.

b) que duró más de un mes.

c) que hizo a pie y por carretera.

9. En su camino, según la grabación, Laura...

a) comprendió que estaba haciendo el viaje de su vida.

b) vio a muchos mochileros que habían dado ya la vuelta al mundo.

c) se encontró con viajeros de otros países.

10. Como parte de aquel viaje, Laura dice en la grabación que también...

a) pudo probar todos los platos de la gastronomía peruana.

b) combinó el deporte de aventura con la visita a lugares de la civilización inca.

c) descubrió que la parte sur del Perú es la más interesante del país.

11. Según se dice en la audición, desde aquel primer viaje...

a) ha viajado siempre sola.

b) ha recorrido muchos otros países.

c) no han pasado más de 8 años.

12. A la pregunta que se hace en la grabación de si le quedan muchas aventuras por vivir, responde que...

a) dependerá del dinero que tenga.

b) soñar con los viajes es estar ya haciéndolos.

c) seguro que sí.

TAREA 3

 INSTRUCCIONES

Usted va a escuchar seis noticias del magazine radiofónico "¿Sabías que...?". Escuchará las noticias dos veces. Después debe contestar a las preguntas (13-18). Seleccione la respuesta correcta (A, B o C).

*Marque las opciones elegidas en la **Hoja de respuestas.***

Tiene 30 segundos para leer las preguntas.

PREGUNTAS

NOTICIA 1

13. Los delfines duermen con la mitad del cerebro despierto...

a) porque no se han adaptado al océano.

b) para no morir mientras descansan.

c) por razones que se desconocen.

NOTICIA 2

14. Según un estudio, escuchar música en el trabajo...

a) hace que las relaciones entre compañeros sean más fuertes.

b) es bueno para que los trabajadores sean más productivos.

c) provoca una sensación de felicidad en el trabajo.

NOTICIA 3

15. Comer fruta y verdura hace que...

a) nos sintamos mejor por algunas de sus sustancias químicas.

b) ya no tengamos estrés.

c) seamos un poco menos optimistas.

NOTICIA 5

17. En la bandera mexicana...

a) sus tres colores representan tres de los productos de la cocina mexicana.

b) se encuentra también el símbolo de su capital.

c) el verde se encuentra entre el blanco y el rojo.

NOTICIA 4

16. Una de las curiosidades del idioma español es que...

a) la letra e está en casi todas sus palabras.

b) solo el idioma inglés es más usado que el español en internet.

c) excepto un número, todos los demás contienen la letra e o la o.

NOTICIA 6

18. La poeta chilena Gabriela Mistral...

a) ha sido la única persona hispanoamericana en ganar un premio Nobel.

b) ya había cumplido 56 años cuando le concedieron el premio Nobel.

c) después de ganar el premio Nobel se fue a vivir a California.

TAREA 4

 **INSTRUCCIONES**

Usted va a escuchar siete testimonios donde siete jóvenes hablan sobre su experiencia como Erasmus y Erasmus Mundus. Escuchará los testimonios dos veces. Seleccione el enunciado (A-J) que corresponde al tema del que habla cada persona (19-24). Hay diez enunciados, incluido el ejemplo. Seleccione solamente seis.

Marque las opciones elegidas en la **Hoja de respuestas.**

Ahora escuche el ejemplo:

Ejemplo: Persona 0:

La opción correcta es la **H.**

	A	B	C	D	E	F	G	H	I	J
0.								■		

Tiene 20 segundos para leer los enunciados.

	ENUNCIADOS
A.	Tardó muchísimo tiempo en llegar allí desde su ciudad.
B.	No fueron los primeros europeos en ir a hacer un curso allí
C.	Estuvo en una ciudad muy limpia y donde uno se sentía seguro.
D.	Vivir en el extranjero le cambió la personalidad.
E.	En aquel país, los estudiantes los miraban extrañados.
F.	Conoció a su pareja mientras estudiaba en esa ciudad.
G.	La beca no solo le sirvió para aprender varios idiomas.
H.	Regresó más tarde a la misma ciudad y vivió un tiempo allí.
I.	No le concedieron la beca para el país que prefería.
J.	Era un destino muy lejano, pero el viaje no fue tan caro como creía.

	PERSONA	ENUNCIADO
	Persona 0	H
19.	Persona 1	
20.	Persona 2	
21.	Persona 3	
22.	Persona 4	
23.	Persona 5	
24.	Persona 6	

TAREA 5

 **INSTRUCCIONES**

*Usted va a escuchar una conversación entre dos amigos, Álex y Sofía. Escuchará la conversación dos veces.
Indique si los enunciados (25-30) se refieren a Álex (A), a Sofía (B) o a ninguno de los dos (C).*

*Marque las opciones elegidas en la **Hoja de respuestas.***

Tiene 25 segundos para leer los enunciados.

		A Álex	B Sofía	C Ninguno
0.	Se había olvidado de cuándo era el Día de los Museos.		x	
25.	Menciona que algunos museos cuestan más de 12 euros.			
26.	Piensa que los museos los visitan más los turistas.			
27.	No cree que sean tan caras las entradas de los museos.			
28.	Le parece que la celebración hace que la gente los visite más.			
29.	Suele ir a los museos por la noche porque es gratis.			
30.	Propone aprovechar las actividades del Día de los Museos.			

PRUEBA DE EXPRESIÓN E INTERACCIÓN ESCRITAS

Duración de la prueba: 60 minutos

TAREA 1

INSTRUCCIONES

*Usted, navegando por internet buscando gente interesada en senderismo y actividades de tiempo libre, ha
visto el anuncio de este grupo.*

SENDERISMO Y MUCHO MÁS

La clave es el contacto con la naturaleza. Disfrutar de la compañía de amigos mientras respiramos
aire puro, hacemos algo de ejercicio y desconectamos del día a día. Este grupo es el punto de
encuentro entre todos aquellos que amamos la naturaleza. Apúntate y disfruta con nosotros de
maravillosos paisajes y rutas. Iremos proponiendo diferentes excursiones cada mes.

¡No esperes más y propón tú el próximo plan!

Escriba al grupo un correo electrónico respondiendo a la propuesta. En él deberá:

– identificarse y explicar por qué está interesado/a;

– describir sus aficiones de tiempo libre;

– decir si tiene alguna experiencia como la que se propone en el anuncio;

– proponer algún plan como, por ejemplo, una ruta por alguna región que conozca, etc.

Número de palabras: entre 100 y 120.

TAREA 2

INSTRUCCIONES

Elija solo una de las dos opciones que se le ofrecen a continuación:

OPCIÓN 1

Lea la siguiente entrada de una revista digital dedicada a las fiestas y celebraciones:

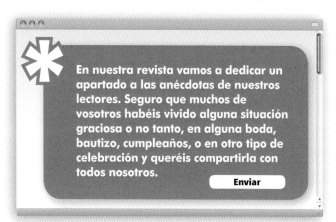

En nuestra revista vamos a dedicar un apartado a las anécdotas de nuestros lectores. Seguro que muchos de vosotros habéis vivido alguna situación graciosa o no tanto, en alguna boda, bautizo, cumpleaños, o en otro tipo de celebración y queréis compartirla con todos nosotros.

Enviar

Escriba un comentario donde:

– *diga de qué fiesta se trataba;*

– *indique con quién estaba y por qué se encontraba allí;*

– *explique con detalle qué pasó;*

– *exprese qué le pareció lo que sucedió o cómo se sintió.*

Número de palabras: entre 130 y 150.

OPCIÓN 2

Lea el siguiente mensaje aparecido en un blog sobre casas:

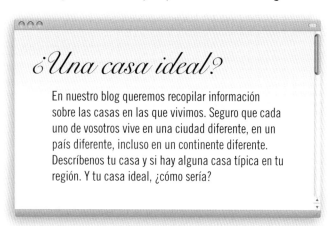

¿Una casa ideal?

En nuestro blog queremos recopilar información sobre las casas en las que vivimos. Seguro que cada uno de vosotros vive en una ciudad diferente, en un país diferente, incluso en un continente diferente. Descríbenos tu casa y si hay alguna casa típica en tu región. Y tu casa ideal, ¿cómo sería?

Redacte un texto para responder a este mensaje. En él deberá:

– *decir desde qué ciudad y país escribe;*

– *describir el tipo de casa en la que vive: si es un piso, una casa o una caravana y sus espacios;*

– *comentar cómo son las casas típicas de su región o país;*

– *concluir con una breve descripción sobre cómo sería su casa ideal.*

Número de palabras: entre 130 y 150.

PRUEBA DE EXPRESIÓN E INTERACCIÓN ORALES

Duración de la prueba: 15 minutos + 15 minutos de preparación

TAREA 1

INSTRUCCIONES

Le proponemos dos temas con algunas indicaciones para preparar una exposición oral. Elija uno de ellos. El entrevistador no intervendrá en esta parte de la prueba.

Duración aproximada de la prueba: 2-3 minutos

EJEMPLO DE TEMA

Viajar te cambia la vida.

Incluya información sobre:
- las diferencias entre los viajes de antes y ahora;
- dónde y cómo viajamos ahora, y de qué manera organizamos nuestros viajes;
- la manera en que viajar nos puede cambiar la vida;
- los viajes en el futuro.

No olvide:
- diferenciar las partes de su exposición: introducción, desarrollo y conclusión final;
- ordenar y relacionar bien las ideas;
- justificar sus opiniones.

TAREA 2

INSTRUCCIONES

Cuando haya terminado su exposición (Tarea 1), usted deberá mantener una conversación con el entrevistador sobre el mismo tema.

Duración aproximada de la prueba: 3-4 minutos

EJEMPLOS DE PREGUNTAS DEL ENTREVISTADOR:
- ¿Usted viaja? ¿Con qué frecuencia y en qué época del año?
- ¿Adónde suele viajar y cómo elige sus destinos?
- ¿Ha realizado alguna vez un viaje inolvidable? ¿Puede contar su experiencia?
- ¿Adónde le gustaría viajar y por qué?

TAREA 3

INSTRUCCIONES

Le proponemos dos fotografías para esta tarea. Elija una de ellas y obsérvela con detalle.

Duración aproximada de la prueba: 2-3 minutos

FOTOGRAFÍA 1:

Describa con detalle, durante 1 o 2 minutos, lo que ve en la foto y lo que imagina que está ocurriendo.

Estos son algunos aspectos que puede comentar:

- Las personas: dónde están, cómo son, qué hacen.
- El lugar en que se encuentran: ¿cómo es?
- ¿Qué relación cree que existe entre estas personas?
- ¿De qué cree que están hablando?

Posteriormente, el entrevistador le hará algunas preguntas.

EJEMPLOS DE PREGUNTAS DEL ENTREVISTADOR:

- ¿Ha estado usted en algún lugar parecido al de la imagen?
- ¿Hay músicos callejeros en su ciudad? ¿Puede describir una calle central de su ciudad y decir cómo es el ambiente?
- ¿A usted le gusta la música? ¿Qué tipo de música?
- ¿Toca algún instrumento musical? ¿Cuál? Cuente su experiencia.
- ¿Le gusta que haya músicos callejeros? ¿Cuál es su opinión?

FOTOGRAFÍA 2:

Describa con detalle, durante 1 o 2 minutos, lo que ve en la foto y lo que imagina que está ocurriendo.

Estos son algunos aspectos que puede comentar:

- Las personas: dónde están, cómo son, qué hacen.
- El lugar en que se encuentran: ¿cómo es y qué hay?
- ¿Qué relación cree que existe entre estas personas?
- ¿De qué cree que están hablando?

Posteriormente, el entrevistador le hará algunas preguntas.

La duración total de esta tarea es de 2 a 3 minutos.

EJEMPLOS DE PREGUNTAS DEL ENTREVISTADOR:

- ¿Usted en qué ocasiones hace fotos? ¿Qué tipo de fotos le gusta hacer?
- ¿Con qué tipo de cámara hace fotos?
- ¿Qué hace después con las fotografías? ¿Se las enseña a los amigos? ¿Dónde las guarda?
- ¿Recuerda alguna fotografía que tenga un valor especial para usted? ¿Por qué?

TAREA 4

PRUEBA DE EXPRESIÓN E INTERACCIÓN ORALES

INSTRUCCIONES

Usted debe dialogar con el entrevistador en una situación simulada durante dos o tres minutos.

Duración aproximada de la prueba: 2-3 minutos

EJEMPLO DE SITUACIÓN

Usted ha ido al Conservatorio para pedir información sobre los cursos que ofrece. Durante la conversación en la secretaría del Conservatorio usted debe:

- explicar por qué ha ido al Conservatorio;
- interesarse por los cursos y los horarios;
- aclarar si es necesario tener conocimientos previos de música;
- preguntar si deben adquirirse los instrumentos o los facilita el Conservatorio;
- pedir información sobre las modalidades de pago.

EJEMPLOS DE PREGUNTAS DEL ENTREVISTADOR:

- Hola, buenos días. ¿En qué puedo ayudarle?
- ¿Está interesado/a en algún instrumento en particular? ¿Cuál le interesaría? ¿Por qué?
- ¿Es su primer contacto con la música o ha seguido algún curso anteriormente de música o de algún instrumento?